D1048606

LA PRISONNIÈRE DE MALTE

Derniers romans parus dans la collection Nous Deux :

CHAGRIN MORTEL
par Patricia POWER
LA DAME DU MANOIR
par Rosalind LAKER
RUMEUR
par Jean Francis WEBB
L'OISEAU REBELLE
par Marjorie CURTIS
LA MAISON DU BANDIT
par Estelle THOMPSON
INDOMPTABLE FELICITY
par Sheila WALSH
LA CHAINE BRISEE
LA ROUTE DU NORD
par Daoma WINSTON
POURSUITE A DELPHES
par Janice M. BENNETT
JEUX DE SCENE
par Jean URE
VOL SANS RETOUR
par Patricia MOYES
MARS OU DECEMBRE
par Marcella THUM
UNE GOUTTE DE SAPHIR
par Constance MILBURN
UN ETRANGER SUR LA ROUTE
par Glenna FINLEY
APRES LA MOISSON
par Lillie HOLLAND
ALERTE AU CAP D'ARGENT
par Elisabeth OGILVIE

A paraître prochainement :

PIEGE DANS LA FORET VIENNOISE
par D. H. THOMSON

Georgina FERRAND

LA PRISONNIÈRE DE MALTE

(*Shadows of the Past*)

Traduit de l'anglais
par M.-T. GUÉROULT

LES EDITIONS MONDIALES
2, rue des Italiens — PARIS-9e

ISBN N° 2-7074-1403-4

CHAPITRE PREMIER

Le guide continuait à discourir d'une voix monotone. Il faisait plus frais à l'intérieur du Palais des Grands Maîtres de l'ordre de Malte, à La Valette, qu'en ville, mais, tandis que le groupe de visiteurs se traînait le long d'une galerie flanquée d'armures anciennes, il semblait évident que tout le monde en avait assez...

Les étés de Malte ne sont guère propices aux visites culturelles, surtout à la fin du mois de septembre.

Paula Sanderson soupira en regardant pensivement le portrait d'un des Grands Maîtres que le guide leur désignait.

— Francisco Ximenes de Texado, annonça celui-ci : 1773-1775. Il acquit en ces deux années la réputation d'un tyran, non seulement dans le peuple, mais parmi ses pairs.

Paula contemplait toujours le portrait.

— Il semble si innocent ! Je ne le vois pas en tyran..., murmura-t-elle au garçon qui l'accompagnait.

Mike Cavanagh s'épongea le visage et le cou avec son mouchoir.

— Pour l'instant, je m'en moque éperdument. Je n'ai qu'une envie : de la bière bien glacée.

— Ça ne devrait plus durer longtemps, dit-elle, mais c'était intéressant.

— D'accord, mais par une telle chaleur...

— Ici, le dernier Grand Maître, poursuivit leur guide. Il ne régna qu'un an. Jusqu'à l'arrivée de Napoléon Bonaparte.

Paula lança un coup d'œil à Mike. Elle savait qu'il était bien mieux à son affaire dans les activités sportives que culturelles.

— Nous pouvons partir, si vous voulez.

— J'en meurs d'envie, mais, ajouta-t-il en hésitant, il y a Nell et France ?

Le frère de Paula et sa femme étaient dans les tout premiers rangs et ne perdaient pas une syllabe du discours du guide.

— Si je connais bien mon frère, dit la jeune fille, il sera le dernier à quitter les lieux. Bien heureux s'il ne s'introduit pas dans une armure... Venez ! Ils savent où nous retrouver.

Discrètement, ils se glissèrent vers la sortie. La cour du Palais était ombragée, bien agréable par une telle journée...

Mike regarda autour de lui et dit :

— Ils savaient réellement construire à cette époque.

Ils se promenèrent un moment à l'ombre des beaux et vieux arbres. Les buissons de seringas sentaient bon. Les fleurs abondaient dans les massifs.

Il était difficile de penser qu'un tel calme pût exister tout près de l'animation de La Valette.

Paula tira ses lunettes de soleil de son sac et en chaussa son nez spirituel, tandis que Mike bombardait le paysage dans tous les sens, de rapides instantanés.

— Ces vacances ont été bien plus agréables que je n'aurais pu l'espérer, dit-elle enfin.

Il s'arrêta pour la regarder.

— Ne parlez pas comme si elles étaient déjà terminées !

— Eh bien ! mais, ce sera le cas dans huit jours. Et alors, retour au travail pour quarante-neuf semaines.

— C'est passé bien vite. Il y aura d'autres vacances de ce genre si vous voulez bien, Paula.

Celle-ci grimaça un petit sourire, et le garçon continua à prendre une quantité de clichés.

— Vous êtes si peu sentimental...

Il s'arrêta de nouveau pour lui sourire.

— Puis-je vous faire remarquer que vous êtes mal placée pour parler de sentimentalité, mademoiselle-qui-n'en-a-pas-une-once ! Venez plutôt boire quelque chose.

Bras dessus, bras dessous, ils quittèrent la cour tranquille et prirent la rue la plus importante de la ville, noire de monde, maintenant que l'heure sacro-sainte de la sieste était passée.

La rue de la République était étroite, mais les voitures y étaient rares. Paula et Mike purent facilement rejoindre le café qui était devenu leur centre de ralliement depuis le début de leur séjour à Malte.

Paula adorait La Valette, qui s'avance sur une

étroite péninsule vers la mer. Toutes les rues y sont étroites, les maisons, surpeuplées, la foule, bruyante, l'espace, restreint, mais ces maisons trop serrées ont presque toutes vue sur la mer.

— Tout semble ici si vieillot, si moyenageux, dit-elle en s'asseyant à une table miraculeusement libre. Personne n'est pressé. Ces gens sont heureux !

Elle s'enfonça sur son siège et tourna son visage vers le soleil. Les deux semaines déjà passées dans l'île avaient donné à sa peau une coloration dorée qui s'accordait parfaitement avec les mèches plus claires de ses cheveux.

C'était une fort jolie fille, plus grande que la moyenne, et d'une sveltesse d'adolescent. Le garçon qui lui faisait face était plus que conscient de son charme, mais comme elle pouvait être évasive ! songeait-il souvent avec un peu de dépit.

— N'essayez pas de me faire croire que vous aspirez à une vie de loisirs. Je vous connais mieux que ça. Il y a de l'encre d'imprimerie dans vos veines à la place du sang. Le lendemain de notre retour, vous aurez déjà repris le collier et vous en serez enchantée. Inutile de le nier !

Elle rit. Le serveur apportait leurs boissons glacées qu'ils burent d'un trait.

— Pourquoi le nierais-je ? Il n'y a pas de honte à aimer son travail. Mais nous avons eu des vacances merveilleuses ! Je suis très heureuse que Neil nous ait offert de partager la villa.

Il lui fit une petite grimace.

— J'avais une autre interprétation. Vous vouliez avoir un chaperon, ma chère !

Paula se redressa sur sa chaise.

— Ce n'est pas vrai ! Pourquoi aurais-je eu besoin d'un chaperon... avec vous ?

— Alors, pourquoi vous êtes-vous arrangée pour en avoir ?

Paula rit et haussa gentiment les épaules...

— Nous devons beaucoup de remerciements à Neil et Frank. S'ils n'avaient suggéré que nous partagions cette villa, aucun de nous n'aurait eu assez d'argent pour séjourner tout seul, sous ce climat de rêve.

— Vous avez raison. Nous recommencerons. Absolument !

Elle sortit un carnet et un stylo et commença à prendre rapidement quelques notes, sur ce qu'ils avaient appris cet après-midi, avant d'oublier les détails. Il la regarda faire un moment avant de dire :

— Même en vacances, vous n'oubliez pas que vous êtes journaliste.

Refusant de se laisser distraire, elle répondit sans interrompre son travail :

— Je n'imagine pas que toutes les photos que vous avez prises sont destinées à votre album de famille ?

— Celle-ci y figurera pourtant, dit-il en prenant un instantané de Paula qui se mit à rire.

— Comme vous, reprit-elle, je trouve qu'il serait stupide de ne pas enregistrer ce que nous voyons. Nous avons profité avec joie de cet intermède de calme. Pourquoi ne pas en faire un reportage ?

Il prit d'elle une autre photo, tandis qu'elle fronçait le nez.

— Savez-vous ce que vous êtes, Mike ? Un antiféministe effronté. Il vous paraît tout naturel de vouloir devenir un photographe de premier plan, mais vous ne jugez pas normal que j'aspire à devenir une grande journaliste.

Il la regarda avec amusement.

— A cette époque, où nous faisons tout pour vous mettre en avant, vous ne pouvez que réussir...

— Attention ! Vous agravez votre cas...

— Peut-être suis-je ou serai-je un grand photographe. Je n'en sais vraiment rien. Mais je sais que, vous, vous réussirez. Un jour, vous serez dans *Fleet street* (1) parmi les plus grands. La « formidable Paula Sanderson », devant qui les hommes trembleront. Mais pour l'instant, nous pouvons encore avoir des relations assez équilibrées...

Paula éclata de rire.

— Mais... nous les avons ! Nous avons d'excellentes relations ; vous n'êtes pas de cet avis ?

Il poussa un soupir résigné et elle dit, jetant un coup d'œil aux environs :

— Je me demande pourquoi Neil et France ne nous ont pas encore rejoints.

— Ils se sont sans doute égarés dans les cachots...

— Il n'y en avait pas dans le palais des Grands Maîtres. Vous imaginez-vous, Mike, l'allure de ces hommes dans leurs vêtements d'apparat, ou en train de combattre contre les Turcs ?

— Pouvez-vous imaginer comment on peut se

---

(1) Fleet street, la rue de la presse à Londres.

sentir, dans une de ces armures, par une chaleur comme celle d'aujourd'hui ?

Paula eut un regard pensif.

— Cela fait apparaître les soldats modernes bien falots...

— Ah ? C'est donc ce genre d'hommes qui vous tentent ? Un seigneur dans une glorieuse armure ? Vous êtes une fille bien peu moderne, finalement...

Elle rit, et, juste à cet instant, son regard tomba sur une femme assise à une table proche. Elle ne l'avait pas remarquée jusque-là, bien qu'elle dût être près d'eux depuis leur arrivée.

Paula était certaine qu'elle était anglaise. La plupart des visiteurs de l'île l'étaient d'ailleurs. Ses cheveux étaient emprisonnés dans un grand chapeau de paille, et elle portait des lunettes noires fort élégantes mais qui cachaient une bonne partie de son visage.

Il était difficile de dire si elle était jeune ou non. Probablement entre les deux, pensa Paula, et cette difficulté d'évaluation l'intrigua. Elle ne lui était pas coutumière.

Il y avait deux tasses de café vides sur la table en question, et ce qui avait attiré l'attention de Paula était la nervosité apparente de leur voisine.

Il semblait évident qu'elle aurait dû se trouver dans une maison de repos, plutôt que dans la bousculade de La Valette. Elle croisait et décroisait constamment ses mains et regardait sa montre à chaque instant. Puis, elle alluma une cigarette dont elle tira de courtes bouffées.

— Si Neil et France n'arrivent pas dans quelques

minutes, dit Mike, nous partirons sans eux. Ils sont capables de passer des heures dans le Palais.

Cette réflexion ramena l'attention de Paula à son compagnon.

— D'accord. Nous n'avons pas besoin de les attendre. Ils ont leur voiture et savent que Carmela prépare le dîner. Ils peuvent bien nous rejoindre directement à la villa.

Elle regarda de nouveau en direction de la femme qui l'intriguait. Celle-ci était en train de chercher de la monnaie dans son sac. Elle fit signe au serveur et lui tendit quelques pièces.

Il était évident qu'elle n'avait pas l'intention d'attendre qui que ce fût plus longtemps et, pour quelque raison inconnue, Paula était fascinée par son manège. Toutes les suppositions lui vinrent à la fois à l'esprit.

Attendait-elle son mari ? Un amant ? Ou simplement une amie dont la voiture avait eu un accident, au bas de la route ? Il y avait plusieurs très innocentes explications, mais Paula était cependant très intriguée.

— Vous êtes à mille lieues ! était en train de reprocher Mike.

De nouveau, elle revint à lui.

— Excusez-moi. Les gens me fascinent, vous le savez bien.

— C'est la première qualité d'un bon journaliste.

La femme venait vers eux, et juste comme elle dépassait leur table, le sac à main qu'elle portait sous son bras glissa et tomba à terre. Elle semblait affolée, et se demandait visiblement comment elle allait pouvoir se tirer d'affaire.

Ensemble, Paula et Mike plongèrent d'un commun accord et rattrapèrent le contenu du sac qui s'était éparpillé tout autour, pendant que la femme continuait à les regarder sans faire un geste.

En quelques secondes le tout fut rentré dans le sac, à l'exception d'un miroir brisé que Paula tendit à sa propriétaire en souriant.

— Je pense que tout est là mais je suis désolée pour la glace.

La femme prit le sac et regarda la jeune fille.

— C'est si gentil à vous ! dit-elle d'une voix oppressée. Je suis tellement maladroite...

Elle n'avait pas enlevé ses lunettes de soleil, et Paula trouvait étrange de parler à quelqu'un dont elle ne voyait pas les yeux.

— Il n'y a pas eu trop de dégâts, dit-elle, regardant l'inconnue, avec curiosité maintenant. Elle pouvait dire qu'elle avait une quarantaine d'années sans doute et du peu qu'elle distinguait de son visage, elle pouvait conclure qu'elle allait rarement au soleil. Elle était pâle. Sans doute une nouvelle arrivée. Elle serait bronzée dans quelques jours...

— Aucune importance pour le miroir, dit celle-ci en serrant son sac. Mais j'espère que cela ne signifie pas sept ans de malheur ! ajouta-t-elle en riant.

— J'en suis sûre, répondit Paula gentiment.

Il y eut un moment de silence avant que l'inconnue lançât :

— Eh bien ! merci beaucoup à tous les deux !

Elle porta la main à ses lunettes comme si elle allait les enlever, puis son bras retomba et elle se détourna au moment où une autre femme traversait, presque en courant, la rue en face du café, avec un geste de la main.

— Arlene, Arlene, me voilà !

Celle-ci se précipita au-devant de l'arrivante que Paula catalogua immédiatement parmi les blondes fadasses sans intérêt.

— Je pensais que vous n'arriveriez jamais, se plaignit « Arlene », tandis que l'autre approchait.

— Je n'arrivais pas à me faire servir. Les Maltais ne savent pas ce que faire la queue signifie. On pourrait croire qu'ils auraient au moins appris ça des Anglais...

Elles s'éloignèrent.

— Vous ne direz pas que je vous ai quittée trop longtemps, Arlene ? entendirent-ils. Vous savez que cela ne lui plairait pas...

Mike regarda sa compagne, intrigué.

— Je me demande de qui elles pouvaient bien parler...

Paula fronça les sourcils.

— Il y a quelque chose qui m'est familier dans cette femme. Pas vous ?

Mike haussa les épaules et ses muscles jouèrent sous sa chemise légère.

— Pour moi, elle me rappelle simplement toutes les femmes de cet âge-là, la quarantaine. Un peu plus mince que la plupart. En outre, j'avais les yeux sur le sol pour ramasser tous ses trucs. Mais je dois dire cependant qu'elle m'a paru nerveuse.

— J'avais fait la même remarque quand elle était encore à sa table. Son amie était certainement plus en retard qu'elle ne l'avait envisagé. Avez-vous fait attention au contenu de son sac, Mike ?

— Pas particulièrement. Pourquoi ? Il y avait l'habituel fouillis qu'on trouve dans tous les sacs féminins.

— Vous êtes impossible, réellement, Mike ! Bien sûr, il y avait le rouge à lèvres et tout le reste. Mais tout cela était en or, avec des initiales faites de petits rubis. Je ne suis pas un expert en joaillerie, mais je jurerais que c'était du vrai.

Mike fit entendre un long sifflement.

— Une riche veuve ? Peut-être aurais-je dû dépenser tout mon charme de son côté au lieu de m'obstiner du vôtre ?

Paula lui donna une petite tape sur le poignet.

— Ce n'est pas étonnant si je ne peux vous prendre au sérieux... Pourtant, ajouta-t-elle, les sourcils froncés, je continue à croire que je la connais. D'après les quelques photos que j'ai ramassées, il pourrait s'agir d'une actrice de cinéma. On a diffusé quelques films anciens ces derniers temps à la télévision. Elle pourrait bien être une de ces stars oubliées.

— Jamais de la vie ! Elle n'en a pas le type.

Encore pensive, Paula avait le regard lointain.

— Vous avez raison. C'était sans doute plus récent. A.H. C'étaient les initiales de son poudrier. Et la femme l'a appelée Arlene... Arlene..., répéta Paula.

Puis, son visage s'éclaira.

— Je sais qui elle est, Mike. Arlene Hayne. Vous vous souvenez bien d'elle, non ?

— Bien sûr. Mais êtes-vous certaine de ne pas vous tromper ?

— Absolument, maintenant. C'est un de ses films qui est passé à la télévision ces dernières semaines, avant notre départ. C'est pourquoi son visage m'a paru familier. Mon père la considérait comme la plus grande actrice, en son temps. Elle était alors au sommet de sa carrière. Toutes les filles essayaient de lui ressembler. Elles s'habillaient comme elle.

— Rien de nouveau de ce côté-là. Les idoles changent, c'est tout. Elle a disparu subitement, il me semble.

— C'est pourquoi on ne se souvient plus guère d'elle.

— Comme Greta Garbo.

— Secrète comme elle, alors ?

— Bien davantage. On n'a jamais su où elle se trouvait.

— Maintenant, vous le savez. A Malte. Je me demande pourquoi !

Mike se pencha au-dessus de leur table.

— Ne pensez-vous pas qu'elle est effrayée, ou quelque chose comme ça ?

— C'est possible, admit Paula. Il me semble avoir lu quelque part qu'elle avait été impliquée dans un accident mystérieux.

— Elle n'a jamais retiré ses lunettes. Avez-vous remarqué ?

Les yeux de Paula brillaient, anticipant sur le plaisir qu'elle aurait à faire sa petite enquête.

— Est-ce que ce ne serait pas un grand coup si je pouvais l'interviewer, Mike ?

Mike hocha la tête.

— Ma chère, vous n'avez aucune chance. Elle doit vivre dans une retraite bien cachée, dans un endroit inconnu et retiré. En outre, elle a abandonné sa carrière et fui la publicité. Elle ne vous livrerait certainement pas ses secrets maintenant.

— Pourtant, si je pouvais l'en persuader, ce serait l'histoire de l'année...

Il lui fit une petite grimace.

— Si... est bien le mot clé de votre problème. Voilà Neil et France, ajouta-t-il en faisant signe de la main aux arrivants.

— Ces Grands Maîtres étaient formidables ! Maintenant, je boirais bien quelque chose de frais, dit le frère de Paula.

Sa femme approuva faiblement. Elle semblait épuisée.

Mike donna des ordres au serveur et dit :

— Paula pense avoir vu Arlene Hayne. Ici. A l'instant.

Neil leva haut les sourcils.

— Ici ?

Paula lui sourit en hochant la tête pour approuver.

— Qu'est-ce que père ne donnerait pas pour être ici, si réellement son idole s'y trouve...

France semblait surprise.

— Arlene Hayne ? Qui est-ce ?

Paula et Mike se regardèrent étonnés, avant que Neil jetât la tête en arrière et éclatât de rire.

⁂

Carmela Bonnici arrivait à la villa tous les matins pour préparer le petit déjeuner de ses locataires. Elle restait la plus grande partie de la journée, faisant le ménage et les lits.

Elle accomplissait de même les courses, si ses locataires le désiraient. Ce qui était souvent le cas.

Paula et France trouvaient son aide inestimable, car non seulement elle était une maîtresse de maison accomplie, mais elle remplissait ses diverses besognes avec bonne humeur.

Elle était aussi une source précieuse d'informations. Elle connaissait le meilleur coin pour nager et les plus honnêtes loueurs de bateaux.

Ses nombreux cousins faisaient tous quelque chose d'intéressant dans l'île, et étaient également des sources remarquables d'informations.

De plus, elle était mère d'une nombreuse famille qui l'accompagnait quotidiennement quand elle sentait que leur présence était désirée.

Elle-même n'aimait pas toujours ses locataires. Mais, cette fois, elle avait pris les quatre jeunes gens en affection.

Le lendemain de la visite au Palais des Chevaliers de Malte, Paula s'éveilla de bonne heure, et resta un moment au lit à écouter le chant des oiseaux, dans l'arbre de Judée qui touchait la fenêtre de sa chambre.

Elle entendit Carmela arriver et commencer à préparer leur petit déjeuner. Alors, elle ne put rester allongée davantage. Elle se leva et, les pieds nus sur le carrelage frais, elle alla vers la fenêtre et poussa les volets.

Le soleil était déjà haut et le ciel, clair, plein des promesses d'une autre magnifique journée.

Des voitures roulaient déjà rapidement le long de la rue principale et Paula pouvait apercevoir à travers les feuillages des jardins environnants, le haut des mâts et quelques voiles des bateaux de plaisance ancrés dans le port de Gzira.

Quelqu'un s'exclama et, baissant les yeux, Paula vit deux jeunes gens riant et lui faisant des signes de la main. Tardivement, elle se rendit compte du spectacle qu'elle leur offrait dans sa mince chemise de nuit, et se recula vivement.

Quelques instants plus tard, elle était douchée et habillée.

Il n'y avait encore aucun bruit en provenance des deux autres chambres à coucher de la villa, et elle pouvait à peine comprendre pourquoi elle s'était éveillée si tôt.

Depuis qu'elle était à Malte, elle dormait parfaitement, bénissant le calme de l'île après le tohu-bohu de la capitale britannique.

Ici, le temps n'était plus un tyran. Mais, ce matin, elle se sentait énervée pour la première fois depuis deux semaines.

Carmela avait déjà fait le ménage de la salle à manger, et travaillait dur dans la cuisine. Elle était petite et boulotte, avec un teint bruni par une perpétuelle exposition au soleil. Mais elle semblait trop jeune pour avoir élevé toute la nichée qu'elle avait plaisir à montrer.

— Vous êtes en bas de bonne heure, aujourd'hui, dit-elle à Paula en guise de bonjour tandis qu'elle empilait des pains au lait tout frais sur une assiette.

Un cousin de Carmela était boulanger, de sorte que les petits pains que mangeait le joyeux quatuor arrivaient directement du four sur leur table. Leur odeur exquise mettait l'eau à la bouche de Paula.

Comme la plupart des Maltais, Carmela parlait un assez bon anglais. C'était agréable pour ses locataires successifs car la langue du pays leur était parfaitement incompréhensible.

— Je m'aperçois que c'est la meilleure heure de la journée, répondit la jeune fille en couvant les petits pains d'un regard gourmand.

— Vous ne m'avez pas dit comment vous avez trouvé votre promenade à La Valette, hier ? Avez-vous aimé ?

— Oh ! c'était magnifique, mais il faisait trop chaud pour l'apprécier autant qu'elle le méritait. Mais les tapisseries du Palais sont des splendeurs !

Carmela étouffa un petit rire.

— La dernière fois que je les ai vues, c'était avec mon école. Vous regardez ces pains comme une enfant affamée. En voulez-vous un avant que les autres descendent ? Il y a du café tout chaud.

Paula s'installa sur une chaise.

— Ne vous inquiétez pas pour le café, mais je prendrai un ou deux petits pains. Que ferions-nous sans vous, Carmela ?

La femme lui fit un large sourire.

— C'est un plaisir de s'occuper de jeunes gens comme vous.

Comme elle s'affairait dans la cuisine, Paula l'étudiait.

— Vous devez avoir de rudes journées, Carmela. Travailler ici presque toute la journée et s'occuper ensuite de votre famille...

— Les filles sont assez grandes pour aider à la maison, et qu'est-ce que je ferais toute la journée si je ne m'occupais pas ici ? Gianni dit que je ferais des bêtises. Et il a sans doute raison... Je ne dois pas lui laisser toute la charge.

Gianni, le mari de Carmela, était amateur de tombola, et de vin de Malte. Et, comme beaucoup de ses compatriotes, il avait peu de goût pour le travail. Il ne désirait sûrement pas être surchargé de travail ! pensa Paula avec une petite grimace.

— Vous, les femmes maltaises, vous vous laissez trop dominer par vos hommes, dit Paula d'un ton raisonnable.

— La vie est ainsi faite ! soupira Carmela, avec philosophie.

— Non. Il faut faire respecter vos droits. Voilà tout !

— Je ne comprends pas les choses ainsi. Elever ma famille est le seul droit que je me reconnaisse. Et vous en ferez autant...

Paula la regarda sortir une poêle et la poser sur le fourneau. On entendait au-dessus d'eux des bruits de réveil.

— Allez-vous épouser ce jeune homme ? demanda Carmela.

Paula avait la bouche pleine et faillit s'étrangler avec son petit pain. Quelques secondes plus tard, quand elle eut réussi à avaler la grosse bouchée, elle répondit :

— Mike ? Je ne pense pas. Nous sommes amis et collègues, et il n'y a pas grand chose d'autre entre nous. En outre, il est très préoccupé par sa carrière et je suis comme lui.

Carmela leva les bras au ciel.

— Carrière !... Je ne comprends pas tous ces jeunes. Ma fille aînée veut être institutrice. Ni mari ni enfants pendant des années... C'est contre nature.

— Moi, je suis d'accord avec votre fille. Je ne suis pas prête à être encore mère de famille. Même si cela ne vous convient pas, je dois l'avouer, Carmela.

— Une femme est faite pour avoir un mari et des enfants.

— Je suppose que cela m'arrivera aussi. Mais, avant, je dois me prouver que je suis une bonne journaliste. Me faire un nom par moi-même, avec mon seul travail.

Surveillant sa poêle, Carmela ne pouvait voir la flamme qui brillait dans le regard de Paula, pendant qu'elle parlait.

— Vous vous apercevrez un jour que l'amour d'un homme est préférable, dit-elle en souriant.

— Même s'il a une faiblesse pour la tombola et le vin ?

Les lèvres de Carmela s'ouvrirent dans un sourire très bon.

— Même ainsi.

Paula avala la dernière bouchée de son petit pain.

— C'est une question sans signification pour le moment, répondit-elle. Je n'ai pas encore rencontré l'homme pour qui j'abandonnerais de bon cœur ma carrière.

— Eh bien, dit Carmela en pointant sa louche vers elle, il faut attendre. Il viendra !

Il y eut un petit silence dans la cuisine.

— Je pense que j'ai rencontré hier dans La Valette une actrice anglaise, dit Paula en entamant un autre petit pain.

— C'est bien possible. Beaucoup de gens célèbres se sont retirés ici. Ils apprécient le calme de notre île. Son climat.

— Celle dont je parle connaît votre paix depuis une vingtaine d'années, je pense. Le nom d'Arlene Hayne vous dit-il quelque chose ?

— Bien sûr !

Paula pouvait entendre le rire tonitruant de Mike à l'étage au-dessus.

— Quand j'étais jeune fille, continua Carmela, toutes les jeunes désiraient lui ressembler.

Paula nettoya les miettes devant sa place et les jeta.

— Savez-vous si elle est toujours à Malte ?

— Elle y habite depuis des années.

Paula se leva d'un bond.

— Elle habite donc bien ici ?

Carmela fit un vigoureux signe de tête en retournant le bacon dans la poêle, et dit :

— Quel malheur qu'elle ait cessé de jouer ! J'ai toujours tellement aimé ses films...

— L'avez-vous vue depuis qu'elle s'est retirée ici ?

— Non. Elle quitte très rarement sa propriété. Après toutes ces années dans les studios, c'est bien compréhensible. Je détesterais être montrée du doigt à chaque instant si j'étais à sa place.

Paula resta silencieuse un moment, plongée dans ses pensées, puis elle regarda de nouveau la Maltaise.

— Sauriez-vous où elle habite, par hasard ?

— Bien sûr ! C'est un endroit très retiré. La fille d'un de mes cousins y a travaillé à un moment donné. Mais ça ne lui a pas plu. C'était trop loin de la ville. Elle aime bien danser...

Paula lui lança un regard vif.

— Où est-ce, Carmela ?

Celle-ci la regarda d'un air plein de doute.

— Vous ne le découvrirez pas. Et il est tout à fait improbable que vous puissiez arriver jusqu'à elle.

Paula s'agita impatiemment. Il y avait des moments où Carmela était à battre...

— Dites-moi simplement où cela se trouve.

La femme poussa un soupir.

— C'est une grande villa — la villa Falzon — sur la route qui va de Rabat à Dingli, dans les collines. A un certain endroit, il faut quitter la route et prendre un petit chemin sur la droite, pendant cinq cents mètres environ. C'est très isolé. Je suis allée une fois voir ma cousine, mais je n'ai pu apercevoir Arlène. J'ai seulement rencontré la femme qui vit avec elle.

— Une blonde, dans les quarante ans, non ?

— Oui, c'est ça. La fille de mon cousin m'a dit qu'elle vivait avec elle. Il y a un homme qui habite là aussi. Le propriétaire de la villa. Mais, durant les quelques mois qu'elle a passés là-bas, elle n'a pas appris grand-chose à leur sujet. C'est une curieuse maisonnée, croyez-moi ! Est-ce que monsieur Mike prendra deux œufs ou trois, ce matin ?

— Trois, répondit Paula rapidement.

Mais son esprit était ailleurs.

CHAPITRE II

— C'était bien Arlene que j'ai vue hier, dit-elle, quelques heures plus tard, tandis que leur petit groupe pique-niquait sur un charmant promontoire dominant l'une des plus belles baies de l'île. Un endroit merveilleusement protégé de la pollution.

Mike continua à mâcher vigoureusement son aile de poulet, puis jeta l'os dans le panier où ils avaient réuni les restes. Bien que ce fût la pleine saison, le coin était à eux tout seuls. Merveilleux !

— Cette rencontre n'a pas quitté votre esprit un seul instant depuis hier, n'est-ce pas ? remarqua Mike.

Paula approuva, et France dit, en mordant dans une pomme :

— C'est curieux ! Ce nom ne me dit vraiment rien !

Son mari lui ébouriffa tendrement les cheveux.

— Vous étiez trop jeune, chérie.

— Paula se souvient bien d'elle, et nous avons le même âge !

— C'est simplement parce que notre père avait

été un de ses « fans », dans sa jeunesse. Il ne nous a jamais permis de l'oublier.

— Est-elle encore aussi éclatante ? demanda France, curieuse.

Neil regarda gentiment sa femme. Il était la réplique brune de sa sœur, et aussi mince qu'elle. France au contraire était rondelette, petite et devrait surveiller sa ligne un peu plus tard.

— C'est difficile à dire, répliqua Paula. Elle portait une énorme paire de lunettes de soleil qui lui masquait la moitié du visage. En outre, elle pourrait être complètement chauve... Un grand chapeau de paille dissimulait ses cheveux. Si elle n'avait pas laissé tomber son sac, je n'aurais jamais prêté attention à elle.

— Pourtant, elle est très observatrice, ma sœur, dit Neil, taquin.

Mike tendit son gobelet de carton dans lequel Neil versa une généreuse rasade de vin de Malte.

— C'est son nez de chien de chasse..., déclara-t-il en buvant.

— Vous pouvez me blaguer autant que vous voudrez, répartit Paula, mais c'est moi qui ai prouvé qu'elle était encore vivante et vivait dans cette île.

— Je ne doute pas de vos talents, Paula, mais je soupçonne Carmela d'être pour quelque chose dans cette découverte... Vous cherchez une interview, n'est-ce pas ?

— Naturellement ! Ce serait sensationnel. Une actrice de cinéma qui s'est retirée à l'apogée du succès pour vivre dans l'isolement pendant vingt ans... Je ne pense pas que quelqu'un ait eu l'occasion de l'interviewer depuis ce temps-là.

— Elle est venue se réfugier ici, de toute évidence, pour se mettre à l'abri d'un tel risque, dit France, pensivement. Aussi, pourquoi vous permettrait-elle de l'interroger maintenant ?

— Exactement ce que je pense ! dit Mike.

Paula ne parut pas démontée le moins du monde.

— Après vingt ans de silence et d'isolement, elle pourrait être ravie à la pensée d'être encore « valable ». Je suis sûre qu'elle ne demanderait pas mieux que de revenir un peu à la surface.

» Quelles qu'aient été les raisons qu'elle a eues de se retirer, elles n'existent peut-être plus.

— Elles sont toujours bonnes si, comme nous en avons eu tous deux l'impression, elle vit dans la crainte. Ecoutez, Paula, je ne suis pas plus que vous contre un bon reportage, vous le savez. Mais cette fois, je pense qu'il vaut mieux ne pas insister.

Paula contempla un moment le sol rocheux, en silence.

— Je vais pourtant essayer, Mike. J'irai demain reconnaître les lieux.

Il soupira.

— Même si elle meurt d'envie de se laisser interroger, Paula, qui vous fait croire qu'elle parlerait à une journaliste de « La Chronique de Porthvale ? »

La jeune fille sourit malicieusement.

— Il n'y a aucune raison pour qu'une feuille locale ne puisse jamais avoir une exclusivité ! En outre, vous semblez oublier qu'elle est née à Porthvale.

Neil releva la tête.

— Paula agira toujours comme elle l'entend, Mike.

— Je sais. Il vaut mieux que j'abandonne le combat. Mais, ma vieille, quand ils vous lâcheront les chiens aux trousses, vous ne m'en voudrez pas, non ? Je vous aurai prévenue.

Paula se mit à rire et France dit avec un peu d'envie :

— J'aimerais que Neil se laisse convaincre aussi facilement que vous, Mike...

— Oh ! c'est simplement parce que nous ne sommes pas mariés... Si nous l'étions, il deviendrait immédiatement aussi victorien que possible...

— N'en croyez rien ! Je proteste énergiquement et demande à être mis à l'épreuve, en accompagnant discrètement Paula.

— Vous ne serez soumis à rien du tout. Ce serait du joli si vous vous mettiez à bombarder les environs d'instantanés cliquetants, répliqua Paula d'un ton un peu acide.

— Qu'est-ce qui vous permet d'avoir une si piètre opinion de mon intelligence ? Je ne serais jamais assez idiot pour faire une chose pareille, répliqua Mike.

— Même ainsi, c'est non. Cette affaire doit être menée très diplomatiquement. Je commencerai par reconnaître discrètement les lieux et nous verrons ensuite le meilleur moyen d'approche. Si je réussis, il sera toujours temps de prendre des photos.

— Je continue à penser que vous ne devriez pas

vous aventurer seule dans ce coin perdu, assura Mike.

Paula le regarda avec étonnement.

— Mais, pourquoi ?

— Parce que vous ne savez pas comment elle vit, avec qui, et tout et tout.

— Ce sont probablement des gens comme vous et moi. Ne commencez pas à jouer les super-protecteurs avec moi, s'il vous plaît. Je ne vous le permettrai jamais. Ils peuvent simplement me jeter dehors, et, s'ils le font, je n'aurais rien perdu.

— Elle est tout à fait capable de veiller sur elle, dit Neil. Elle s'en est toujours bien tirée.

Mike grogna :

— Je commence à m'en apercevoir, mais qui donc, au nom du ciel, se dévouera pour veiller sur moi ?...

— Ça va ! dit Paula, brusquement. Tout est réglé. Demain, la première chose que je ferai sera de partir en exploration.

*
* *

Presque toute la nuit, Paula resta éveillée dans son lit, essayant de découvrir la meilleure approche de la maison d'Arlene Hayne et, au matin, elle n'était pas encore sûre de la façon dont elle s'y prendrait.

Le reste du groupe la persuada de remettre son enquête jusqu'à l'après-midi. Mike et Neil étaient bons marins et, comme ils l'avaient déjà fait en d'autres occasions depuis le début de leurs vacances, ils loueraient un bateau.

Les hommes auraient pu se passer de son aide, mais France avait envie de se promener, et se souvenant que — malgré tout — elle était en vacances, ils décidèrent qu'elle irait avec eux.

Ce jour-là encore, il faisait terriblement chaud. Les hommes, en short, étaient presque aussi tannés que les Maltais eux-mêmes, et France ressemblait à une gitane.

En dépit de la température, Paula laissa les autres monter se reposer dans leur chambre, et, après avoir enfilé sa robe la plus légère, elle s'installa derrière le volant de la voiture de louage qu'elle partageait avec Mike.

Ils étaient toujours heureux de se retrouver tous, mais il y avait des moments où Neil et France aimaient aller de leur côté, comme Paula ou Mike. De cette façon, tout se passait très bien.

Bien qu'ils eussent le plus souvent possible la chance de se garer à l'ombre, invariablement l'intérieur des voitures semblait une fournaise quand on y entrait.

Paula baissa toutes les glaces, mais cela faisait bien peu de différence, aussi, après avoir attendu un petit moment, décida-t-elle de partir. Sinon elle devrait patienter jusqu'au soir...

— La route de Rabat était pleine de trous et de bosses, bien que ce fût une des grandes routes de l'île. Et Paula était sûre que sa moyenne serait minable, comme d'ailleurs sur tous les chemins de l'île. Ils avaient découvert cela depuis le premier jour !

Après une demi-heure de trajet, elle vit poindre

à l'horizon la vision familière de Mdina — la cité silencieuse — plantée au sommet d'une colline qui dominait le reste de l'île.

La magnifique cathédrale Saint-Pierre-et-Saint-Paul, et la forteresse bâtie par les Arabes pour repousser l'envahisseur, se silhouettaient sur un ciel d'un bleu très pur. Cet horizon ne manquait jamais d'émouvoir Paula. C'était une vue imposante, à distance. La Valette, avec ses rues étroites et vieillottes, semblait presque neuve par comparaison.

Paula avait été ravie, la première fois qu'elle avait aperçu Mdina, sur le fond rose d'un somptueux coucher de soleil. Ils se rendaient, ce soir-là, à Rabat pour y dîner dans un restaurant réputé.

La vue de ces formidables bâtiments sombres, sur le ciel enflammé était un spectacle qu'elle n'oublierait jamais.

Elle dépassa Rabat et Mdina et, consultant la carte qu'elle avait pris la précaution d'emporter, suivit la direction que Carmela lui avait indiquée. Même ainsi, elle était loin d'être sûre de trouver l'endroit, mais son envie de réussir et sa curiosité la poussaient en avant.

Pourquoi une femme, en plein succès, et en bonne santé, avait-elle abandonné une vie aussi riche, aussi intéressante, pour vivre dans l'obscurité jusqu'à la fin de ses jours ? se demandait Paula. Voilà ce qu'elle avait à découvrir.

Après avoir quitté la grande route, elle se trouva dans un chemin tout juste bon pour des charrettes, qui serpentait à travers les collines. Après quelques minutes sur ce qui était plutôt un sentier qu'une voie de transport moderne, son corps entier était douloureux. Elle avait l'impression que ses os jouaient entre eux, comme des castagnettes.

Elle conduisait, par nécessité, à une allure d'escargot, entraînant ses yeux à découvrir le tournant dont Carmela lui avait parlé, et qui ne semblait jamais venir.

Enfin, elle découvrit un étroit chemin qui pouvait être le bon. Sur cette partie de l'île, il y a peu de choix... Elle arrêta la voiture et la quitta pour une petite exploration des environs. Elle cherchait un signe de vie, une habitation.

Elle se trouva bientôt au sommet d'une colline, et le vent, qui souffle toujours à Malte, semblait lui jeter son haleine chaude au visage.

Sauf quelques caroubiers, de maigres herbes sauvages, il y avait peu de verdure pour adoucir le sévère paysage rocheux. Mais la vue était à couper le souffle. Elle s'étendait sur des kilomètres de prés et de cultures variées, en carrés et en losanges semblables à du patchwork. Au loin, comme un mirage, Sliema dansait dans une brume chaude et légère, au bord de la Méditerranée.

Un bruit derrière elle la fit pivoter brusquement sur ses talons. Ce fut pour contempler une chèvre solitaire, broutant dans les buissons en se faisant un chemin jusqu'au sentier. La bête poussa un faible bêlement, et Paula sourit avec soulagement.

Revenant à la voiture, elle en enleva les clés et prit son sac. Puis, après un instant d'hésitation, elle continua à pied sur le sentier.

Le soleil déjà bas était chaud dans son dos. Le

vent lui soufflait du sable au visage. Mais elle poursuivait sa route sans s'en inquiéter, rapide et bien décidée.

Les figuiers de Barbarie, toujours présents dans n'importe quelle partie de l'île, formaient ici une haie continue le long du sentier. Il tardait à Paula de rencontrer un de ces gamins qui, n'importe où, vendent les fruits sucrés de ces plantes grasses.

Elle avait la gorge sèche et regrettait de n'avoir pas eu l'idée de s'arrêter à Rabat pour prendre quelque rafraîchissement. Mais il était trop tard pour y penser maintenant. Il fallait continuer, aller de l'avant.

Quelques minutes plus tard, elle commença à craindre de s'être trompée. Elle faillit faire demi-tour. Mais juste à ce moment, au détour d'un virage, elle eut devant elle de hauts murs qui, sans aucun doute, cachaient la maison qu'elle cherchait.

La demeure elle-même était hors de vue.

Pour quelqu'un qui cherchait une vraie retraite, un isolement total, Arlene Hayne ne pouvait trouver mieux. Non seulement l'accès de la propriété était difficile, mais la villa Falzon était protégée par un mur si haut que seuls, quand on regardait attentivement, les sommets de certains arbres d'essences rares et fort variées donnaient à penser qu'il y avait derrière ce formidable écran un endroit habité. Et certainement luxueux.

Entre quelques cimes, des portions de toit plat le confirmaient, en demandant une attention exercée. Le parc semblait une merveille. L'odeur des citronniers, des orangers, parvenait jusqu'à Paula. Mais où étaient les voies d'accès ?

La seule qui se présentait à l'esprit était l'escalade, ce qui était tout à fait hors de question Mais en suivant le mur, Paula découvrit un portail de fer forgé, à double battant, formidable d'aspect.

Paula essaya sans grand espoir la poignée énorme et fut surprise de constater que le battant s'ouvrait facilement.

Un premier obstacle pouvait être ainsi tourné, mais Paula n'était pas assez stupide pour s'imaginer que la suite serait aussi facile.

Après un instant de réflexion, elle tourna les talons et revint vers sa voiture. Elle eut l'impression qu'elle était tout près, compte tenu du temps de recherche qui lui avait paru long. Après tout, cette maison était sans doute moins loin de la route qu'elle ne l'avait pensé.

Elle se sentait fatiguée et avait grande envie d'une douche. Elle restait cependant aussi déterminée qu'au départ à ne pas rejoindre ses amis avant d'avoir achevé son enquête.

Elle n'avait pas envie de se faire moquer d'elle par Mike, par exemple. Le scepticisme qu'il avait montré quant à la réussite de cette affaire ne faisait qu'augmenter la détermination de Paula à obtenir cette interview, d'une façon ou d'une autre.

Elle se reposa dans la voiture pendant quelques minutes, s'éventant avec la carte, puis dans un grand effort, elle ouvrit le capot. D'un regard dans le moteur, elle se demanda comment elle pouvait le mettre en panne et tirant sur un fil, elle réussit à le déconnecter.

Elle rabattit le capot, essaya de démarrer et n'y réussit pas. Donc, tout allait bien. Satisfaite, elle reprit le chemin de la villa.

Quelques minutes plus tard, elle foulait du pied le terrain du parc. Quand elle eut franchi la grille, elle se trouva dans un jardin clos, comme une cour. Des arbustes très serrés, bien verts, donnaient une impression de fraîcheur agréable sous ce climat. Sans doute un ruisseau alimentait la propriété, descendant de la colline, pour l'arrosage et la maison.

Celle-ci, haute de deux étages, était bâtie avec la pierre ocre de l'île, qui, au soleil couchant, brillait comme du miel.

Toutes les fenêtres avaient des balcons, et, de là, on devait avoir une vue extraordinaire sur La Valette et Sliema, de l'autre côté de l'île, à des kilomètres de distance.

Il faisait très bon dans cette immense cour. Il y régnait un silence que ne rompaient que le friselis des branches au vent, et le murmure d'une source que Paula ne pouvait voir.

Maintenant terriblement consciente d'être une intruse, la jeune fille marchait prudemment le long de la cour d'entrée, où de nombreux sentiers s'entrecroisaient. Comme elle prenait un de ceux qui menaient vers l'habitation, elle arriva à la fontaine dont elle avait entendu le ruissellement un peu plus tôt. Tout autour, des hibiscus et des bougainvilliées alternaient leurs fleurs rouges et violettes si violemment qu'on en avait presque mal aux yeux.

La porte à double battant était hermétiquement close.

Paula soupira doucement.

Sur le panneau de droite, un marteau de cuivre brillait. Après un moment d'hésitation, elle le souleva et le laissa retomber.

Sans réponse, elle essaya de nouveau et attendit en vain un bruit de pas à l'intérieur. Tout ce qui parvint jusqu'à son oreille fut un aboiement. Mais il ne venait pas de la maison. Aussi se souvint-elle des prédictions de Mike.

Un peu plus tard, elle s'écarta de la porte et fit le tour de la maison. Elle se doutait bien qu'une demeure de cette importance avait plusieurs entrées. Entre autres, celle des domestiques. Même si les maîtres étaient absents.

Toutes les fenêtres étaient protégées par des grilles de fer forgé, à la façon des maisons mauresques. Imprenables ! C'était le premier mot qui venait à l'esprit.

Elle se demanda si la description des lieux, ajoutée aux informations qu'elle avait déjà, ne suffirait pas à faire un article. Elle commençait à craindre vraiment de ne jamais parvenir à rencontrer Arlene Hayne.

Il faisait exquisement frais sous les grands arbres. Elle aurait joui de bon cœur de cette ombre si elle ne s'était pas sentie si indiscrète.

Elle revint vers la sortie, mais par un chemin différent, sur le côté de la villa. Là, se trouvait une autre porte, également en fer forgé.

Comme Paula s'interrogeait sur ce qu'elle allait faire maintenant, cette porte s'entrouvrit avec un grincement. Paula retint son souffle et recula pour se trouver hors de vue, tandis que le battant s'écartait davantage.

Un chien bondit. Non pas une bête féroce, mais un petit scottish terrier qui s'arrêta, les oreilles pointées, dès qu'il eut franchi la grille, comme s'il avait deviné la présence d'un intrus.

— Cary ! dit une voix derrière le mur. Vilain garçon, voulez-vous revenir, tout de suite.

Le chien ne bougea pas. Il continua à écouter attentivement quelques instants, puis bondit en direction de la cachette de Paula.

Arlene franchit elle-même la porte à peu près au même moment, et sembla regarder autour d'elle avec inquiétude. Elle était vêtue d'un short jaune et d'un bustier assorti, avec une écharpe serrée contenant ses cheveux bruns.

Bien qu'elle fût plus mince que dans le souvenir des films qu'elle avait vus, Paula la reconnut instantanément. Elle avait conservé cette folle allure qui avait enchanté tant d'hommes...

Le chien la rejoignit immédiatement, pour le plus grand soulagement de Paula, et la star se pencha pour le caresser.

— C'est encore cet affreux chat, chéri ?

Paula n'arrivait pas à croire à sa chance. Elle fit quelques pas, sachant qu'une occasion pareille ne se représenterait jamais.

— Miss Hayne ?

La femme fit un brusque demi-tour. Cette fois, les lunettes de soleil étaient dans sa main, et, comme elle regardait Paula bien en face, celle-ci put se rendre compte qu'aucune cicatrice ne déparait ce visage qui avait été universellement admiré.

Les yeux étaient d'un bleu profond et les cheveux sombres n'étaient pas encore nuancés de gris. Bien sûr, Arlene avait vieilli. Mais Paula aurait aimé être certaine que les années seraient aussi clémentes pour elle-même...

L'actrice ouvrit la bouche pour un cri qui ne vint pas, et ses yeux étaient élargis de terreur quand ils se posèrent sur Paula.

— Que faites-vous ici ? demanda-t-elle d'une voix rauque.

Sentant la crainte de sa maîtresse, le chien fit entendre un grondement, du fond de la gorge.

— Je n'avais pas l'intention de vous effrayer. Je vous en prie, reprenez-vous !

La phrase n'eut aucun effet calmant.

— Qui êtes-vous ? répéta Arlene. Et que voulez-vous ?

— Ma... ma voiture est en panne sur le chemin, environ à cinq cents mètres de chez vous.

Elle se détestait à cette minute, pour le subterfuge qu'elle avait imaginé. Mais elle savait aussi qu'une vraie journaliste devrait aller beaucoup plus loin encore quand elle était sur la piste d'un bon reportage.

— C'est la maison la plus proche, poursuivit Paula. Et... la porte n'était pas fermée...

Elle s'interrompit pour reprendre son souffle, heureuse de constater que la pauvre Arlene semblait plus calme maintenant. Mais, sans doute, pas très convaincue encore.

— Me permettriez-vous d'entrer pour demander

de l'aide ? J'ai essayé de me faire entendre mais personne n'a répondu lorsque j'ai frappé.

Arlene Hayne écarta seulement à ce moment les mains qu'elle avait gardées serrées jusque-là crispées contre son cou.

Pendant un instant, elle parut confuse, puis elle dit :

— Naturellement, entrez ! Les domestiques se reposent toujours à ce moment de la journée. Mais, entrez donc. Par ici, si vous voulez bien.

Paula la suivit dans ce qui paraissait être une entrée secondaire, sur le côté de la maison. La porte tourna aisément et sans bruit sur ses gonds, faisant mentir l'impression de Paula qui avait cru la maison imprenable...

Pour ceux qui avaient le droit d'y être introduits, cela semblait au contraire facile.

La porte donnait sur un grand hall assez sombre quand on arrivait de l'extérieur. Mais les yeux de Paula s'y habituèrent rapidement.

La lumière arrivait dans ce vestibule par un vitrail multicolore, qui projetait sa clarté sur une série d'armures qui rappelèrent à Paula sa visite de la veille au Palais des Grands Maîtres.

Derrière ces attributs guerriers, des portraits, qui semblaient poussiéreux, garnissaient les murs.

Quand les deux femmes furent à l'intérieur, Arlene Hayne jeta un regard anxieux autour d'elle puis leva les yeux vers la galerie circulaire qui entourait le hall.

— Je me demande où peut bien être Eveline, murmura-t-elle avant de se tourner de nouveau vers Paula.

— C'est ma compagne, expliqua-t-elle. Je me demande ce que je ferais sans elle !

Elle fit monter la jeune fille à l'étage et l'introduisit dans un petit salon fort gai. Les fenêtres s'ouvraient sur la campagne et le soleil couchant entrait à flots, adoucissant merveilleusement l'impression de sévérité qu'aurait pu donner l'ameublement ancien.

Impression qui ne pouvait durer dès qu'on avait mieux examiné les lieux. Le cuir des fauteuils était doux, et les sièges confortables.

Arlene pressa gentiment Paula :

— Asseyez-vous, je vous en prie.

Elle semblait de nouveau essoufflée. Et était, sans nul doute, encore plus nerveuse que Paula, l'intruse.

— C'est une pièce très agréable, dit celle-ci, assez sottement, pour meubler le silence.

— Les fenêtres ont été ajoutées à l'époque moderne, répondit vivement Arlene comme si elle était enchantée de voir la conversation prendre un tour très conventionnel.

— Il n'y avait autrefois que des meurtrières, à cause des invasions possibles et même fréquentes des barbares.

Elle eut un petit rire nerveux.

— Ce danger-là, au moins, est passé.

— Je ne veux pas vous faire perdre trop de temps, Miss Hayne. Si vous vouliez bien m'indiquer où se trouve le téléphone, je...

La vedette sembla surprise, comme si elle avait complètement oublié la raison que Paula avait invoquée en arrivant.

— Ah, oui ! Votre voiture..., dit-elle au bout

d'un moment. Quel dommage qu'une panne vous soit arrivée si loin de tout...

— Je pense qu'il y a un garage à Rabat ?

L'actrice sourit.

— Severino, mon chauffeur, est le meilleur mécanicien que je connaisse. Il vous arrangera ça beaucoup mieux que n'importe quel garagiste des environs.

Elle fronça les sourcils.

— Malheureusement, il n'est pas là pour le moment, mais il sera très vite de retour. Vous devez mourir de soif à marcher par une telle chaleur. Je vais sonner tout de suite pour qu'on nous monte du thé.

Comme elle s'approchait de la sonnette, Paula s'enfonça davantage dans son fauteuil. La situation se présentait infiniment mieux qu'elle n'aurait jamais pu l'imaginer. Et, cependant, elle se sentait curieusement déprimée par ce succès même.

Instinctivement, cette femme lui plaisait. Elle ne montrait aucune trace d'exhibitionnisme, et Paula sentait qu'elle se devait de préserver le secret qu'elle avait découvert.

Mais, d'autre part, c'était une telle occasion qu'aucun journaliste digne de ce nom ne pouvait la manquer. Brutalement, Paula rejeta ses scrupules et ses remords de conscience.

Arlene Hayne lui présenta une boîte de cigarettes.

— Fumez-vous, Miss...

— Paula. Paula Sanderson. Je ne fume pas, merci beaucoup.

L'actrice fit une légère grimace en allumant sa

cigarette. Elle en tira nerveusement de petites bouffées. Tous ses mouvements, Paula l'avait déjà remarqué, étaient rapides et nerveux. N'était-il pas admis que tous les comédiens étaient toujours tendus, sous pression. C'était sûrement vrai pour celle-ci.

— Vous êtes très sage de vous abstenir, déclara-t-elle. C'est une mauvaise habitude que je voudrais bien abandonner. Mais je n'y arrive pas.

Elle quitta rapidement son fauteuil et pressa de nouveau le bouton de sonnette.

— Ces filles sont si paresseuses, se plaignit-elle, qu'il est presque impossible d'obtenir d'elles quoi que ce soit à cette heure de la journée.

Juste à ce moment, une domestique très jeune fit irruption dans la pièce, et s'arrêta brusquement à la vue de Paula, la fixant avec une curiosité pleine de sans-gêne.

— Ne restez pas stupidement ainsi, la gronda Arlene. Allez nous préparer du thé. Cela vaudra mieux. Et prévenez Severino dès qu'il rentrera, que je veux le voir. J'ai du travail à lui demander.

La fille reposa son regard sur sa maîtresse, et dit :

— Oui, Miss Hayne.

— Et ne mettez pas des heures, s'il vous plaît.

— Certainement, Miss Hayne.

Quand la domestique eut quitté le salon, Arlene continua à fumer nerveusement une cigarette après l'autre. Paula remarqua qu'elle avait le bout des doigts jaunis par la nicotine.

Arlene fixa Paula un bon moment à travers la brume bleue de sa fumée.

— Les visiteurs sont bien rares ici, dit-elle, mais

je ne peux m'empêcher de penser que nous nous sommes déjà vues. Est-ce que je me trompe ? Vous saviez mon nom, du reste.

Paula fut prise de court.

— Eh bien ! hier, dans La Valette... Vous souvenez-vous ? Vous aviez fait tomber votre sac. Mon ami et moi vous avons aidée à tout ramasser. Je vous avais reconnue, immédiatement.

Inconsciemment, l'actrice passa sa main sur son visage et son regard reprit une expression de désarroi. Puis, brusquement, elle posa sa cigarette sur le cendrier de cristal.

— Hier... Oui, naturellement. Je me souviens maintenant. Vous étiez avec un très charmant jeune homme.

— Mike Cavanagh. Nous passons nos vacances ensemble. Nous partageons une villa avec mon frère et ma belle-sœur.

Arlene sourit :

— Vous, les jeunes, vous avez beaucoup plus de liberté que du temps de ma propre jeunesse. Je vous envie pour cela ! Comme c'est étrange que vous vous soyez souvenue de moi.

— Vous n'êtes oubliée en aucune façon.

Un étrange regard vint alors ternir les yeux bleus, juste au moment où la domestique revenait avec le thé si longtemps attendu.

A ce moment, Paula se demandait très sincèrement ce qu'elle allait dire et faire.

Arlene se mit à bavarder fébrilement, tout en versant le thé. Comme elle tendait sa tasse à Paula, celle-ci se persuada qu'elle avait devant elle une pauvre femme esseulée et qui disait vrai en avouant qu'elle recevait peu de visites.

Elle était pourtant encore une très jolie femme, mais, tandis qu'elle avait eu autrefois un visage fin assez plein, des cernes sombres creusaient ses joues. C'était plus joli qu'inquiétant. Ce n'était certainement pas pour des raisons physiques qu'elle avait abandonné les studios.

— Est-ce que monsieur Cavanagh était avec vous aujourd'hui ? demanda-t-elle.

— Non. Il avait autre chose en vue. C'est très gentil de vous en informer. J'espère que je ne vous fais pas perdre trop de temps, Miss Hayne.

— Je vous en prie, appelez-moi Arlene. Hayne était un pseudonyme de théâtre. Mon véritable nom est Blag. Arlene Blag.

» Beaucoup moins élégant, n'est-ce pas ?

Elle se pencha en arrière dans son fauteuil, la face plissée par un sourire amer.

— Et quant au temps, continua-t-elle tristement, j'en ai à revendre, tous ces jours-ci...

Il y eut un silence gêné et Paula sentit que, si elle avait mieux possédé son métier, elle aurait pu poser toutes les questions qu'elle désirait. Mais elle ne trouvait rien à dire...

Alors, Arlene se redressa et alluma une nouvelle cigarette.

CHAPITRE III

Soudain, la porte s'ouvrit violemment. La femme que Paula avait aperçue à La Valette entra en courant, le visage pâle et effrayé.

Elle s'arrêta brusquement au milieu de la pièce quand elle vit Paula installée dans son fauteuil. Elle se tourna vers Arlene pour une explication.

— Je vous cherchais partout. Où étiez-vous donc passée ?

Arlene semblait de nouveau mal à l'aise.

— Il n'y avait aucune raison de vous inquiéter, Evelyn. J'étais allée me promener. Je ne suis pas partie loin.

Elle regarda en direction de Paula qui se taisait, embarrassée, et dit, très naturellement :

— Oh ! je vous présente Paula Sanderson. Sa voiture est en panne pas très loin d'ici. Et je l'ai invitée à attendre le retour de Severino qui, j'en suis sûre, pourra réparer.

» Ma compagne, Evelyn Harding.

Toutes deux accueillirent cette présentation par un petit salut silencieux. Arlene semblait satisfaite d'elle. Paula en cherchait la raison. Parce qu'elle s'était évadée quelques instants de la tutelle de sa compagne ? C'était à approfondir, peut-être...

— Je vais vous verser une tasse de thé, proposa l'actrice à la blonde, sans enthousiasme.

Evelyn Harding était probablement plus jeune qu'Arlene, mais elle ne le paraissait pas. Ses cheveux étaient ramassés en un chignon sans élégance, presque malpropre et son visage luisait de transpiration. La robe sans forme qu'elle portait, bien que convenable, ne faisait rien pour améliorer son apparence. Jamais on n'aurait pu trouver, vivant ensemble, deux femmes plus dissemblables.

— Non, j'ai déjà pris mon thé, merci, répondit la dame de compagnie après un instant de silence. Et n'oubliez pas que Piero ne tardera pas à revenir.

Arlene se servit une autre tasse de thé.

— Oui, je sais, dit-elle, d'une voix dénuée d'expression.

Evelyn Harding se retourna vivement en entendant la porte s'ouvrir derrière elle et sembla plutôt soulagée en voyant entrer Maria, la jeune servante.

— Oui ? dit-elle. Qu'est-ce que c'est ?

— Miss Hayne désirait que je lui fasse connaître le retour de Severino.

Arlene Hayne écrasa vivement dans le cendrier ce qui restait de sa dernière cigarette, et fut rapidement debout. Paula fit de même.

Il y avait une étrange atmosphère dans cette pièce. Quelque courant qu'elle ne pouvait comprendre. Elle était satisfaite d'avoir une excuse pour quitter la maison. Mike avait eu raison : elle n'aurait jamais dû venir ici.

— Dites-lui, dit Arlene à la jeune domestique,

qu'il y a une voiture en panne, à quelques centaines de mètres d'ici, sur le chemin. Qu'il essaie de la réparer.

La fille se retira et Paula dit, englobant les deux femmes dans son sourire :

— Je pense qu'il vaut mieux que j'aille avec lui. Je lui indiquerai exactement l'endroit.

Evelyn fit un signe de tête approbateur.

— Quelle bonne idée !

Et elle précéda rapidement Paula vers la porte.

— Je suis certaine qu'il trouvera tout de suite la source de vos ennuis. C'est un fort bon mécanicien.

Une fois de plus, la plus âgée des deux femmes parut désemparée.

— Avez-vous réellement besoin de partir si vite ? J'ai apprécié votre visite.

Elle suivit Paula jusqu'au hall d'entrée, tandis qu'Evelyn tentait de presser la sortie de la jeune fille.

— Peut-être pourrez-vous revenir et amener votre ami ? J'aimerais beaucoup le revoir. Vous formez un couple très charmant. Je l'ai pensé au premier regard.

Paula jeta un coup d'œil à Evelyn Harding. Son visage était marqué par la désapprobation et c'était, réellement ce à quoi Paula s'était attendue. Elle tourna son attention vers Arlene de nouveau et prit la main que celle-ci lui tendait.

— J'en serais ravie et Mike également... j'en suis certaine.

— Que se passe-t-il ici ?

Les trois femmes se retournèrent d'un même

mouvement, vers l'escalier d'où était partie une voix basse mais autoritaire. Les yeux de Paula s'élargirent de surprise. Ainsi c'était cet homme...

Mais il n'était pas du tout comme elle s'attendait à le trouver. Il paraissait à peine la trentaine et était, par conséquent, plus jeune qu'Arlene, et très séduisant, avec ses cheveux noirs bouclés, un hâle doré qui semblait permanent et un corps mince et musclé qui semblait dès le premier regard prêt à défendre Arlene contre tout danger.

Celle-ci et sa compagne semblaient avoir subi un choc, à cette arrivée, puis rapidement, le visage d'Arlene se détendit dans un sourire de plaisir avant qu'elle se précipitât vers le nouveau venu.

Il devait les avoir suivies depuis le faîte de l'escalier, mais n'avait pas manifesté sa présence quand les trois femmes avaient quitté le petit salon.

— Piero, mon chéri. Je ne vous savais pas dans la maison !

Elle passa son bras sous le sien et l'embrassa sur la joue. Mais durant ces quelques instants, le regard brûlant de l'homme n'avait pas quitté le visage de Paula. Des yeux sombres, brillants.

Elle non plus ne pouvait détacher son propre regard de ce visage. En elle, venaient de s'allumer deux flammes d'égale intensité : celle de la crainte et celle de l'exaltation. Il y avait quelque chose d'extraordinaire — elle le ressentait jusqu'au plus profond d'elle-même — de dangereux aussi, peut-être. Bref, de passionnant.

— Si j'avais su que vous aviez une visite, je serais revenu plus tôt.

Son anglais était sans faute, mais Paula n'en

était pas surprise. Tous les Maltais de bonne éducation le parlent fort correctement, tout en maniant avec facilité leur propre langue.

Evelyn s'éclaircit la gorge.

— Si vous voulez bien m'excuser, j'ai à faire.

Elle traversa le hall rapidement et disparut. Arlene, toujours au bras de l'homme, le poussa en avant, vers Paula.

— Je vais vous présenter à Miss Sanderson. Sa voiture est tombée en panne près de chez nous. Savez-vous qu'elle m'a reconnue immédiatement ? N'est-ce pas merveilleux ?

» J'ai envoyé Severino se rendre compte des dégâts, mais pendant que nous l'attendions, nous avons eu une conversation très intéressante. Miss Sanderson, je vous présente Piero Falzon.

Celui-ci se contenta d'un petit salut très sec. Il continuait à étudier la jeune fille et son regard était assez éprouvant. Elle ne savait où porter les yeux.

Elle avait l'impression qu'il connaissait le but de sa visite, et cependant elle savait bien que c'était impossible.

— Etes-vous en vacances à Malte, ou à demeure ?

— En vacances.

La voix de Paula était rauque et elle dut s'éclaircir la gorge comme l'avait fait Evelyn un instant plus tôt.

— Nous avons loué une villa à Gzira, Mike, mon frère et ma belle-sœur.

Il la regarda attentivement.

— Et ils étaient avec vous aujourd'hui ?

— Paula était seule, répondit Arlene pour elle, mais j'ai rencontré son ami hier à La Valette.

Falzon détourna son regard de Paula, à son grand soulagement, et le reporta sur l'actrice, toujours accrochée à son bras et qui souriait d'un air incertain.

— J'avais été assez sotte pour laisser tomber mon sac et les deux jeunes gens se sont précipités pour m'aider à ramasser ce qu'il contenait. C'est à ce moment-là que Paula m'a reconnue.

Il lui sourit et caressa doucement sa main. Mais lorsque son regard revint à Paula, ce sourire avait disparu.

— Vous avez dû être bien surprise de la retrouver ici ?

— Oui... Oh, oui ! certainement.

Elle détourna son regard vers Arlene et dit d'une voix un peu oppressée :

— Eh bien ! maintenant je vous demande de m'excuser. Je vous ai fait perdre assez de temps.

Toujours pendue au bras de Piero, Arlene fit un pas en avant.

— Nous allons vous accompagner jusqu'à votre voiture, dit-elle.

— C'est trop loin pour vous, déclara Falzon.

Le visage d'Arlene prit une expression déçue tandis qu'il continuait :

— Reposez-vous un peu avant le dîner. Je veillerai à ce que Miss Sanderson puisse reprendre la route en toute sécurité.

— C'est inutile, répliqua Paula vivement. Je vous ai assez dérangés. Je retrouverai très bien mon chemin seule.

Il lui sourit pour la première fois :

— Ce n'est pas un dérangement, dit-il.

« Il veut être sûr que je pars », se dit Paula.

A la porte, Arlene se décida à lâcher le bras de son compagnon.

— Quand vous reviendrez, dit-elle à Paula, je vous raconterai l'histoire de cet endroit. Elle est tout à fait fascinante.

Elle se tourna de nouveau vers Piero.

— Depuis combien de temps votre famille vit-elle à Malte ?

Paula eut l'impression qu'il soupirait. Elle n'en était pourtant pas certaine.

— Il faut le dire à Paula. Je suis sûr que cela l'intéressera.

— Dix siècles, Miss Sanderson.

— C'est... remarquable, déclara-t-elle, un peu sottement.

Dehors, le soleil couchant était éblouissant.

— N'oubliez pas que vous m'avez promis de revenir, dit Arlene restée sur le seuil.

— Je n'oublierai pas. Merci.

Elle commença à descendre le sentier, consciente que Piero, fidèle à sa promesse, se tenait à son côté. Paula se retourna pour faire à l'actrice un dernier au revoir de la main.

Aucun des deux ne prononça un mot jusqu'à ce qu'ils eussent franchi la lourde porte d'entrée. A ce moment, il lui jeta un regard de côté.

— C'était vraiment une curieuse coïncidence, votre arrivée ici, aujourd'hui.

— Ces choses-là arrivent parfois, dit-elle d'un ton léger.

— Très peu de gens viennent aussi loin. L'endroit présente peu d'intérêt. Quelques temples, certes, mais pas les plus beaux.

— J'ignorais même qu'il y eût des temples par ici. J'étais simplement sortie faire une promenade.

— Combien de temps avez-vous passé à Malte ?

— Presque quinze jours. Nous y sommes pour trois semaines.

— Vous savez, évidemment, qui est Arlene ?

— Tout le monde la connaît.

— Il y a bien longtemps qu'elle a quitté l'affiche. Elle a choisi de vivre dans le calme et accepte rarement de recevoir des visites.

Paula commençait à avoir envie de répliquer. Car, en même temps qu'il l'informait, son hôte forcé la mettait nettement en garde. Elle lui en voulait.

— Elle a été très accueillante avec moi, répliqua-t-elle. Elle semblait contente d'avoir de la compagnie.

— Elle n'aurait jamais laissé quelqu'un dans l'embarras...

Paula était de plus en plus étonnée. Qui était-il donc ? Pourquoi la prévenait-il ainsi ? Derrière l'irritation de la jeune fille, son intérêt grandissait d'instant en instant.

— Je vous serais reconnaissant, dit-il un peu plus tard, de ne pas divulguer cette rencontre. Arlene a choisi de vivre à Malte. De la façon que vous connaissez. Comprenez-vous ?

Incapable de le regarder, Paula répondit :

— Je comprends très bien, monsieur Falzon.

— Quand Arlene a quitté le cinéma, elle a abandonné toute forme de publicité. Ah ! voici votre voiture. J'espère que Severino a trouvé la panne.

Un homme à cheveux gris était penché au-dessus du moteur. Piero pressa le pas et, lorsque Paula rejoignit à son tour la voiture, les deux hommes étaient en conversation animée.

D'un ton hésitant, elle demanda :

— A-t-il réussi à me dépanner ?

Le regard qu'elle reçut en réponse était plein d'ironie. Aussi ajouta-t-elle, l'air inquiet :

— Je ne voudrais pas rester en plan ici...

— Il n'y a aucun danger, Miss Sanderson ! C'était réellement quelque chose de très facile à réparer. Voyez-vous : un de ces fils s'est déconnecté. Cela a suffi à vous mettre en panne.

Paula se mit à rire pour couvrir sa confusion.

— Stupide ! Quelque chose d'aussi simple...

Elle s'obligea à regarder Falzon et découvrit un regard brillant de malice, comme s'il riait intérieurement sans pouvoir s'en empêcher. Paula aurait voulu mourir...

— Je vous suis très reconnaissante pour votre aide, dit-elle.

Il lui ouvrit la portière en murmurant, d'un air sérieux :

— On ne peut jamais se fier à ces voitures de location.

Paula s'affaira à faire repartir le moteur. Ce fut chose instantanée. Elle sourit plutôt sottement aux deux hommes et fit faire demi-tour à son véhicule.

Piero leva la main pour un salut silencieux, tandis que la voiture accélérait. Un instant plus tard, alors qu'elle jetait un regard sur son rétroviseur, elle le vit au milieu du chemin, immobile, et les yeux fixés sur elle.

***

— Paula n'a presque rien dit au sujet de sa visite à Miss Hayne, dit Neil tandis qu'il attaquait sa viande, le lendemain soir.

— J'aimerais tant savoir ce qui s'est passé, ajouta sa femme. Mais elle ne nous en a guère laissé l'occasion...

Mike lança à travers la table un long regard à Paula.

— Elle nous en parlera quand elle sera disposée à le faire, et pas avant, déclara-t-il. Je l'ai déjà vue de cette humeur.

Paula sourit légèrement. C'était vrai. Elle avait très peu parlé de cette visite, excepté pour leur dire qu'elle avait pu rencontrer l'actrice.

Sa répugnance à en dire plus provenait certainement du fait que tout cet épisode l'avait mise mal à l'aise. Elle aurait parfaitement compris le désir de retraite d'Arlene si celle-ci ne l'avait reçue d'une façon si aimable.

Et puis, il y avait aussi ses relations avec Evelyn, qui n'étaient pas nettes dans son esprit. Et puis qu'était Piero pour Arlene ? C'était surtout cette question qui l'intriguait. Elle soupçonnait que c'était lui qui la maintenait dans la solitude. Lui seul, et non pas Arlene de sa propre volonté.

Ce soir-là, ils dînaient tous les quatre sur la

terrasse de l'hôtel de la Baie. La musique leur parvenait assourdie de la salle à manger, et des lanternes colorées éclairaient les tables. L'hôtel était au bord de la mer, et, sur le côté de la baie, les lumières de l'agglomération formaient des girandoles. Au loin, celles de Yacht-Club, sur l'île Manuel, cachaient celles de La Valette.

Paula poussa un soupir.

— J'ai envie d'y penser encore avant d'en parler.

— Pourquoi as-tu besoin de réfléchir ? demanda son frère.

— Je ne sais pas exactement.

— L'as-tu vue, oui ou non ?

— Je vous ai déjà dit que je l'avais rencontrée, mais j'ai l'impression qu'il se trame là-bas quelque chose de bizarre.

Les autres grommelèrent et rirent d'elle, comme Paula pensait qu'ils le feraient.

— Je sais, reprit-elle, que cela paraît idiot, mais elle a un curieux comportement. La villa est exactement ce qu'on pouvait supposer : luxueuse et ancienne. Exactement le cadre où une actrice pourrait se retirer. Mais elle ne lui appartient pas. Elle est la propriété de cet homme...

— Oh ! plaisanta Mike. On aurait pu le deviner.

Paula haussa les épaules.

— Il est impossible qu'il y ait quelque chose entre eux. Rien à voir avec sa retraite. Il est beaucoup trop jeune.

Neil semblait sceptique.

— On ne peut jamais jurer de rien dans ces cas-là...

— Il y a entre eux une curieuse relation, poursuivit Paula, mais je n'arrive pas à la définir.

Cette fois, Neil se mit à rire.

— Cela mérite d'y penser sérieusement. N'oublie pas que c'est une histoire hors du commun que tu es partie chercher là-bas.

Elle lui fit une grimace.

— Il y a peu d'espoir pour une histoire de ce genre, je le crains. Il a tout de suite compris que j'avais pris un mauvais prétexte pour m'introduire dans la villa.

Mike rit à son tour.

— Vous n'avez pas été très subtile, avouez-le, ma chère...

— Qui est cet homme ? interrogea France. Avez-vous appris quelque chose sur lui ?

— Il m'a été présenté sous le nom de Piero Falzon. En fait, il a tenu à m'accompagner jusqu'à la voiture. Et, si vous voulez mon avis, c'était pour être sûr que je décampais.

» Arlene m'avait expliqué qu'il était le propriétaire de la villa. Et que sa famille possédait ces biens depuis dix siècles. Voilà !

Son frère grommela.

— Eh bien ! de cette façon nous avons la réponse à tous ces mystères.

Paula le regarda d'un air interrogateur.

— Je ne suis pas du tout d'accord avec cette interprétation.

— C'est pourtant simple. Ce Falzon appartient à la noblesse de l'île. Il doit posséder un titre héréditaire, vous pouvez en être sûrs. Si j'en crois un bouquin que j'ai lu avant de faire ce voyage, les nobles Maltais restèrent à l'écart des nouveaux venus. Hautains et dédaigneux. Quand les Chevaliers et leurs Grands Maîtres s'installèrent dans l'île et, plus tard, créèrent la ville de La Valette, les vieilles familles de la noblesse restèrent à l'écart des nouveaux venus, toujours hautains. Ils le sont encore aujourd'hui.

— Bon, c'est bien possible, mais je ne vois pas ce que cela a à voir avec ce qui m'occupe.

— Simplement ceci. Ils n'aiment pas les nouveaux venus. Dont nous.

— Arlene pourrait être aussi une nouvelle venue ? dit Mike.

Paula sourit triomphalement.

— C'est justement ce que je cherche à découvrir.

France chipotait dans son assiette.

— Je ne voudrais pas être une « empêcheuse de chercher en rond », dit-elle, mais je doute qu'on vous donne une deuxième chance.

Paula semblait cependant satisfaite tandis qu'elle tenait son verre de vin au creux de sa main.

— Arlene m'a fait promettre de revenir avant que je quitte Malte, et de lui amener Mike. Ainsi, la chance est là au contraire et j'ai bien l'intention de la saisir.

Neil sourit en levant son verre.

— Eh bien, il semble que tout aille pour le mieux !... Aussi longtemps que Falzon ne découvrira pas que tu es journaliste.

— Je ne vois pas comment il pourrait le découvrir, dit Paula pensivement. Aller voir Arlene est une chose, fouiller dans ses secrets en est une autre.

Maintenant que j'y ai réfléchi, je me rends compte que c'est elle qui a posé toutes les questions. Moi, je n'ai fait que lui répondre.

— Je suis certain, dit Mike en enfournant sa dernière bouchée de viande, qu'Arlene écartait déjà les journalistes avant même que vous soyez née. Ce ne sera pas du travail facile, croyez-moi.

— Je ne l'ai jamais pensé... En fait, ce sera terriblement dur maintenant que ce Falzon est dans la course. Mais cela vaut la peine d'essayer... J'ai l'intention de retourner la voir avant que nous quittions l'île. Et je vous emmènerai, Mike. Vous voilà satisfait ?

— Je ne voudrais pas manquer ça pour un empire ! Je veux voir de mes yeux comment tout le monde se comporte là-bas. J'aurai, je puis vous l'assurer, une regard dénué de tout romantisme féminin.

Avant qu'elle pût lui rire au nez, il recula sa chaise et se leva.

— J'ai besoin de vérifier quelque chose, dit-il. Je reviens dans une minute.

Les autres le regardèrent en silence. Alors Neil se tourna vers sa femme :

— J'ai envie de vous emmener danser, France, avant qu'il y ait trop de monde sur la piste.

Elle lui répondit, avec un sourire sarcastique.

— Eh bien ! vous, au moins, personne ne vous accusera d'être romantique...

Quand elle fut laissée seule à leur table, Paula se mit à regarder rêveusement la baie mais, à cet instant, elle n'en voyait ni les lumières ni les beautés. Son esprit était rempli de spéculations diverses.

Elle savait qu'elle ne pourrait quitter l'île sans avoir découvert le secret de la villa Falzon.

Avant de l'avoir rencontrée, Arlene n'était pour elle qu'un nom et un beau visage. Maintenant, c'était une femme avec un passé. Un passé que Paula désirait profondément connaître.

Ses pensées étaient bien éloignées de la terrasse quand un bruit de pas la fit sursauter.

— C'est un homme de loi !

— De quoi diable voulez-vous parler ? demanda-t-elle à Mike qui venait de se rasseoir près d'elle.

— De ce Piero Falzon, évidemment ! Le noble Baron Falzon, pour lui donner son titre exact. Bien sûr, les actes nobiliaires n'ont aucune valeur en dehors de l'île. En tout cas, ce Falzon est un homme de loi qui a ses bureaux à La Valette.

Paula continua un moment à le regarder d'un air surpris. Puis, elle éclata soudain de rire.

— Là, vous m'avez eue, Mike. Ce n'est pas juste.

— Le renseignement est parfaitement exact. Je m'en suis assuré.

Elle cessa de rire, mais son étonnement était toujours aussi grand.

— Comment avez-vous découvert ça si vite ?

— Elémentaire, mon cher Watson. J'ai regardé dans l'annuaire du téléphone. Il est là pour que chacun puisse le consulter.

Paula se rejeta en arrière sur son siège et se mit à rire de nouveau.

— Dire que je m'intitule journaliste ! Mike, vous me couvrez de honte.

— Vous manquez d'expérience, mais vous apprendrez, mon enfant, dit-il avec un clin d'œil exagéré. Aimeriez-vous danser ?

Elle mit la main sur son bras et le serra très fort.

— Mike, je viens juste de penser à quelque chose...

— Il faut que cela soit réellement important, dit-il, très sérieux. Carmela a juste repassé mon costume aujourd'hui. Vous êtes en train de le maltraiter.

Elle le lâcha immédiatement.

— Excusez-moi.

— Allons ! Vous ne savez plus quand je plaisante ? Qu'avez-vous découvert ?

— Eh bien ! s'il est un homme de loi, cela rend les choses très claires.

Il la regardait d'un air incompréhensif.

— Pas pour moi.

Impatiemment, elle commença à expliquer :

— Arlene doit avoir réalisé une belle fortune pendant ses années de cinéma, et, lui, doit en avoir le contrôle, maintenant.

— C'est très vraisemblable.

— Et aussi longtemps qu'elle vit isolée, il peut faire tout ce qu'il veut de son argent.

— Paula, c'est une pure spéculation. Il vaudrait mieux ne la répéter à personne.

— Je ne suis pas tellement idiote, Mike. Mais j'adorerais savoir ce qu'il en est.

— Même si c'était exact, il y a bien peu de chances pour que vous le sachiez un jour.

— Vous n'étiez pas présent, Mike, quand il s'est assuré que je partais réellement. J'étais déjà loin sur la route, qu'il me surveillait encore. Il était vraiment très impatient de me voir quitter les environs.

— Il n'y a rien d'extraordinaire à ça. Arlene tient à sa tranquillité et il veille certainement à ce qu'il en soit ainsi. Il me paraît être le genre d'homme qui détesterait que soient révélées en public leurs relations, quelle qu'en soit la nature. Malte est une bien petite île !

Elle ferma les yeux un moment, puis s'écria :

— Comme j'aimerais avoir à ma disposition les archives du journal, en ce moment. Je voudrais bien savoir ce que cachent tous les mystères que je sens autour de ces deux-là.

— Je crains que vous ne deviez vous passer de ces références.

Il repoussa sa chaise.

— Dansons ! Oubliez tout pour un moment.

CHAPITRE IV

Comme Mike l'entraînait vers la piste de danse, Paula dit :

— J'espère que vous ne pensez pas que vous allez me faire lacher l'affaire, Mike Cavanagh. Je n'abandonne pas si facilement. Il y a une histoire à dénicher, ici, je le sens au plus profond de moi-même, et j'ai bien l'intention d'aller jusqu'au bout.

— Vous êtes une incorrigible fouineuse ! Je n'oserais jamais espérer vous faire renoncer à quoi que ce soit, hélas !

— C'est une intuition, Mike. Une pure intuition, pour l'instant. Les choses ne sont pas ce qu'elles paraissent dans cette villa, j'en jurerais.

Il soupira.

— Les choses ne sont pas non plus ce qu'elles paraissent dans notre villa...

Elle rit et, un moment plus tard, dit pensivement :

— Pourquoi, par exemple, Arlene traîne-t-elle auprès d'elle cette Evelyn ? Elles ont l'air de ne jamais se quitter.

Mike haussa les épaules.

— Peut-être désire-t-elle de la compagnie ?

— Dans ce cas, pourquoi vivre dans un endroit aussi retiré ?

— C'est une chose différente, je crois.

— Ce n'est pas si simple, murmura Paula. Quand j'étais chez elle, Arlene a passé son temps à éviter cette Evelyn. Elle n'est du reste pas le genre de compagne qui convient à Arlene.

— Vous savez bien que les contraires s'attirent.

Paula ne répondit pas, et comme Mike l'enlaçait plus fortement, ils dansèrent en silence pendant un moment. Paula cherchait des yeux Neil et France qui n'avaient pas regagné leur place.

L'hôtel de la Baie était très fréquenté, surtout à cette époque de l'année, où la population locale se gonfle de l'arrivée des touristes. La cuisine était excellente et pas aussi chère qu'on aurait pu le penser. Paula et ses compagnons avaient passé là de très agréables soirées. Comme son regard parcourait la salle, elle rencontra le regard du barman qui lui souriait. Elle lui rendit son sourire puis, brusquement, ses lèvres se figèrent. Ses yeux venaient de rencontrer ceux de Piero Falzon.

Elle se raidit dans les bras de Mike et rata un pas. Le baron Falzon était assis au bar et, à son côté, bavardant avec lui, se trouvait une fille brune et jolie, tellement décolletée que la toilette de Paula qui n'était pas particulièrement chaste, semblait presque victorienne !

Les yeux de Paula et du Maltais se rencontrèrent une seconde, puis, sans qu'il fît mine de la reconnaître, il se tourna de nouveau vers sa compagne.

Mike resserra son étreinte.

— Qu'est-ce qui vous arrive ? Est-ce que je vous ai marché sur le pied ?

Elle le regarda gentiment, se forçant à sourire.

— Continuez comme si de rien n'était. Je vous expliquerai plus tard. Vous dansez toujours aussi bien. Ne vous inquiétez pas.

Il parut intrigué et la guida lentement hors du coin où se trouvait le bar, vers le centre de la salle.

— Mike, murmura-t-elle alors à son oreille. Piero Falzon est assis au bar.

Il la fit tourner avec maestria et elle ajouta :

— Il est assis à côté d'une fille brune, vêtue — ou plutôt dévêtue — d'une robe noire.

Mike fit entendre un long sifflement.

— Un joli petit lot, non ?

Elle éclata de rire.

— C'est l'homme qui nous intéresse, puis-je vous le rappeler, mon cher garçon ?

Il éloigna sa danseuse pour mieux voir son visage.

— Parlez pour vous, jeune personne...

Elle se sentit rougir.

— Ne faites pas l'imbécile, Mike, s'il vous plaît. Je me demande qui elle est et pourquoi elle est ici.

— Pour la même raison que nous, je pense. L'Hôtel de la Baie est un endroit très populaire. C'est Carmela qui nous l'a recommandé, souvenez-vous.

Paula soupira légèrement.

— Oui, je pense que vous avez raison. Mais cela m'a donné un choc de le voir là, en chair et en os, si je puis dire, alors qu'il vient tout juste de faire l'objet de notre conversation. Je crois qu'il nous faudra reconsidérer ses relations avec Arlene.

— Pourquoi ? Autant que nous sachions, ils ne sont pas mariés. Et, même s'ils étaient ce que vous pensez...

Ses yeux s'élargirent d'amusement.

— C'est un homme de loi. Peut-être est-il ici avec une cliente ? Dans ce cas, on peut dire qu'il unit l'utile et l'agréable, ajouta Mike en riant.

Paula se mit à rire aussi, le visage enfoui dans l'épaule de Mike, jusqu'à ce que la danse fût finie. Ils n'eurent pas à repasser devant le bar, mais, par précaution, Paula détourna cependant la tête.

France et Neil avaient regagné leur table, quand ils l'atteignirent. La fraîcheur de la terrasse était la bienvenue après la touffeur de la salle de danse. Même France, qui ne craignait pas la chaleur, s'éventait avec sa serviette.

— Il y a du nouveau dans l'affaire Arlene, expliqua Mike quand ils furent tous assis.

Neil grommela :

— Je croyais le sujet épuisé jusqu'à nouvel ordre.

— Je n'y suis pour rien, cette fois-ci, déclara Paula avec bonne humeur. Je viens simplement d'apercevoir Piero Falzon assis au bar.

France se redressa sur son siège.

— Oh ! montrez ! Cette histoire devient fascinante. Je veux absolument le voir.

— Ces femmes ! gémit son mari, tandis que Paula étouffait un fou rire.

— C'est le troisième à partir du fond du bar,

expliqua Paula. Je pense que vous pouvez l'apercevoir de votre place.

Les yeux de France s'ouvrirent tout grands.

— Oui. Je vois. Il est très bien. Vraiment bien...

Elle regarda sa belle-sœur en riant doucement.

— Hypocrite ! Pas étonnant que vous ayez mis un voile sur ce qui s'est passé hier...

Les yeux de Neil brillaient de malice.

— Pas étonnant non plus qu'elle ait tellement envie d'y retourner...

Paula frappa la table du poing.

— Assez ! Vous êtes tous stupides ! Je ne comprends pas ce que vous voulez dire.

Ils se mirent tous à rire de plus belle et elle fut forcée de faire face.

— C'est le genre d'homme qui me plaît, de toute façon, continua France sur le même ton. Quelle femme ne serait attirée par un homme beau, brun et élégant ?

— Cela correspond tout à fait à ma propre description, déclara Mike sans rire. Alors, où ai-je fait un faux pas, dites ?

Neil attrapa la main de France et la serra contre lui.

— Maintenant essayez d'être un peu convenable, femme, sinon je me verrai forcé de vous enfermer dans la cave.

France commença à pouffer et il tourna son attention vers sa sœur.

— Tu sais, Paula, je peux n'être pas bon juge de ce qu'une femme trouve d'attrayant chez un homme mais, d'après ce que je vois, celui dont nous parlons pourrait bien être de la race de ceux pour lesquels une femme abandonne sa carrière, par amour...

— Tu es idiot, répliqua-t-elle, furieuse, le regard ailleurs. Il est bien trop jeune ! Il était encore un enfant quand Arlene a quitté les studios.

— Pas nécessairement, intervint Mike. Il y a quelques gadgets, comme des fausses dents, des teintures, des verres de contact, etc. La liste en est infinie et il n'y a pas que les femmes pour les utiliser...

Paula haussa les épaules et lui lança un coup d'œil assassin.

— Je parierais volontiers que tout est réel chez Falzon.

France étouffa un petit rire.

— Paula risque d'avoir une occasion de faire des vérifications. Il vient vers nous. N'oubliez pas de me présenter...

Le visage de Paula était le symbole de la terreur.

— Oh, non !... gémit-elle.

— Soyez calme, ma chère, murmura Mike. Cette rencontre n'est-elle pas tout ce que vous souhaitiez ? C'est le moment de profiter de l'occasion.

Paula avait repris son sang-froid quand Falzon atteignit leur table. Il fit un petit salut à la jeune fille, au moment où elle levait les yeux sur lui d'un air surpris.

— Bonsoir, Miss Sanderson.

Elle lui fit un mince sourire.

— Monsieur Falzon, quelle surprise ! Je pensais que c'était peut-être vous que j'avais cru voir au bar, mais les lumières sont tellement tamisées dans ce coin que je n'en étais pas sûre. Permettez-moi de vous présenter notre petit groupe. Mike Cavanagh, mon frère Neil et ma belle-sœur, France.

Paula fit un charmant sourire à sa belle-sœur tandis que Falzon s'inclinait devant France, qui lui tendit la main. Il la prit et la retint un moment.

— Je suis enchanté de faire votre connaissance, madame Sanderson.

Paula lança un regard inquiet à son frère qui ne paraissait plus s'amuser du tout. La musique ayant repris, il écarta sa chaise et enleva sa femme sous le nez du Maltais, en disant :

— Excusez-nous, monsieur Falzon. J'ai été très heureux de vous connaître.

Tandis qu'une France, assez peu enthousiaste, était emmenée hors du terrain, Piero Falzon se tourna vers Mike :

— Si vous permettez, monsieur Cavanagh, j'aimerais que Miss Sanderson m'accorde cette danse.

Mike parut amusé.

— Mais, naturellement...

Paula se sentit horrifiée lorsque Falzon se tourna vers elle. Danser avec lui était la dernière chose qu'elle désirât. La panique l'envahissait, mais comme il attendait, écartant sa chaise, et que Mike ne faisait pas mine de venir à son secours, elle se décida.

Il dansait bien, infiniment mieux que Mike qui était toujours un peu embarrassé sur une piste, et maladroit dans ses mouvements. Piero Falzon était sûr de lui. En toutes choses, songeait Paula.

Il évitait de la tenir serrée et elle se sentait raide comme elle ne l'avait jamais été dans les bras d'un bon danseur. Elle se trouvait en réalité aussi peu à l'aise, en cet instant, que lorsqu'il avait insisté pour la mener jusqu'à sa voiture, la veille. Cela avait été un supplice...

La fille brune était encore assise au bar mais, comme elle les regardait danser, une moue parut sur son joli visage. Elle n'avait pas l'air contente et Paula ne pouvait l'en blâmer.

Une minute plus tard, elle vit Mike s'approcher du bar, et s'asseoir près d'elle. Paula ne pouvait entendre ce qu'il lui disait, mais elle se tourna vers lui et lui sourit. Leur conversation devint très vite animée.

Soudain, comme elle les observait, son danseur l'attira vers lui et ce geste la fit presque trébucher. La prise de Falzon devint alors si forte que, sans se débattre, elle ne pouvait se libérer. Pour toute la fin de la danse, ils devraient rester presque joue contre joue.

— Vous rencontrer ici est une curieuse coïncidence, dit-elle quand le silence devint insupportable.

— Les coïncidences paraissent bien fréquentes, en ce moment, n'est-ce pas ? répondit-il.

« Il est encore en train de se moquer de moi », se dit-elle et elle essaya de s'écarter, mais il la tenait trop solidement pour qu'elle y réussît.

— Arlene n'a pas cessé de parler de vous depuis que vous nous avez quittés, dit-il un peu plus tard. Vous l'avez beaucoup intéressée.

Assez embarrassée, elle répondit lentement :

— Je dois dire que j'ai été très impressionnée. Arlene est tout à fait charmante. Et si belle !

— Vos amis semblent heureux de leurs vacances ici.

— Nous le sommes tous. Nous adorons Malte.

Il semblait en être ravi.

— L'économie maltaise a bien besoin des touristes, dit-il d'un air malicieux. Peut-être reviendrez-vous ?

— Je l'espère, mais pas avant l'année prochaine. Pour des raisons financières, simplement.

Il desserra sa prise pour pouvoir mieux regarder le visage de sa danseuse.

— Peut-être aurez-vous la chance et la possibilité de revenir avant l'an prochain ? Combien de temps m'avez-vous dit que vous nous restiez ?

Paula sut que la question n'était pas banale curiosité. Il avait un but précis en la posant, et la conversation avait été adroitement amenée au point où il l'avait désiré.

— Encore une semaine. Nous en aurons passé trois, en tout.

— J'ai toujours remarqué que la dernière semaine de vacances file beaucoup plus vite que les autres, dit-il.

— C'est parfaitement exact.

— Vous allez sans doute la passer à préparer vos valises aussi gaiement que possible ?

Elle ne pouvait faire autrement que rire de la boutade.

— Nous ferons certainement nos valises, mais nous trouverons aussi le temps de revenir voir Arlene, comme je le lui ai promis.

Il la regardait avec la même attention que l'avant-veille et ce n'était pas moins éprouvant pour elle ce soir que l'autre jour. Paula soutint son regard un moment, mais elle se sentait perdante dans cette sorte d'affrontement. Elle dut baisser les yeux.

Le visage de Falzon était si proche du sien qu'elle pourrait en reconnaître chaque trait, des années plus tard, pensait-elle. Les yeux noirs, le nez droit et l'aimable courbe de la lèvre qui semblait toujours se moquer ou ironiser... Elle n'avait aucun besoin qu'on lui rappelât cette moquerie qu'elle avait bien méritée...

Il y avait une légère odeur d'after-shave, sur les joues de Falzon, un soupçon de parfum un peu acidulé qui montait à la tête de Paula. Elle remarqua vaguement que Mike semblait se plaire avec la fille du bar. Il lui avait offert un verre et ils riaient et bavardaient ensemble comme s'ils se connaissaient depuis des années.

— Racontez-moi comment vous avez rencontré Arlene. Je n'en sais pas grand-chose, dit Falzon.

— Nous ne nous sommes pas réellement rencontrés, répliqua-t-elle vivement. Mike et moi étions en train de prendre un pot à la terrasse d'un café, le Winsdor, qui est près du Palais des Grands Maîtres de l'Ordre de Malte.

— Je connais.

— Eh bien, comme elle passait devant notre table, Arlene laissa tomber son sac à main. Mike et moi l'avons aidée à ramasser tout ce qui s'était éparpillé sur le sol. C'est tout.

Il fronça les sourcils.

— Evelyn n'était donc pas là ?

— Elle est arrivée un peu plus tard.

— Ainsi, Arlene était seule ?

Paula rit, un peu étonnée, de ces questions.

— Pendant un moment, oui.

Son danseur parut pensif et silencieux et c'est seulement à cette minute que la jeune fille se rendit compte qu'elle venait de subir un véritable interrogatoire. Le baron faisait surveiller Arlene. Elle se sentit furieuse de s'être laissée prendre au piège. Mais il était trop tard pour faire machine arrière.

Du reste, les questions semblaient tellement innocentes qu'il aurait eu beau jeu de rire devant la moindre accusation. En outre, se disait-elle, ce n'était pas son affaire si Falzon désiraît connaître les mouvements d'Arlene.

La danse se prolongeait, mais Paula savait que c'était l'habitude ici. Les musiciens se reposeraient ensuite un bon moment avant la danse suivante. Et, du reste, d'une étrange façon, elle commençait à apprécier de danser dans les bras de cet homme, n'eût été la gêne de ses questions.

Il était temps qu'elle se mît à son tour à en poser. Mike la jugerait une bien minable journaliste s'il savait le temps qu'elle avait déjà perdu...

— Arlene vit-elle à Malte depuis longtemps ? demanda-t-elle, déterminée à recevoir quelques réponses à ses questions.

— Quelques années, répondit-il d'un ton réservé. Parlez-moi plutôt de vous, Miss Sanderson.

— Arlene est bien plus intéressante que moi !...

Il sourit.

— Je dirais plutôt que tout ce qui la concerne est déjà connu.

— Mais, moi... je suis très ordinaire.

— Vraiment ?

Les yeux de Falzon brillaient d'un amusement contenu. Elle savait qu'il se moquait encore d'elle.

— Dites-vous cela parce que votre nom n'a pas encore été cité dans un journal ?

Il était vraiment trop fort pour elle. Et il ne lâcherait rien sur Arlene.

— Il y a peu à dire sur moi. J'ai vingt-quatre ans, et je vis avec mes parents dans une ville nommée Porthvale.

— Ils ont approuvé votre voyage à Malte ?

Paula éclata de rire.

— Vous voulez parler de Mike ? Ils me connaissent très bien et nous partageons une villa avec mon frère et ma belle-sœur. Ce qui représente un chaperonnage bien suffisant.

— Votre belle-sœur est charmante.

— Nous nous entendons très bien. Elle est une parfaite maîtresse de maison et borne là ses ambitions.

— Mais, pas vous, n'est-ce pas ?

Paula évita le regard moqueur.

— Mes parents sont en Australie, pour le moment, en visite chez ma sœur aînée, expliqua-t-elle, d'une voix aiguë.

— Les jeunes filles maltaises sont plus sévèrement gardées, malgré l'influence anglaise qui nuit à l'autorité des parents.

Paula jeta un regard du côté du bar.

— Je comprends que cela doit être exact, dit-elle sèchement.

Falzon avait suivi son regard et resta impassible devant sa petite amie, en grands frais pour un autre homme.

— Ce Mike Cavanagh, vous le connaissez bien ?

— Nous étions en classe ensemble.

— Que fait-il dans la vie ?

— Il est photographe.

— Et vous ?

Paula se mordit les lèvres.

— Moi ?... Je suis son assistante.

La réponse n'était pas très éloignée de la vérité. Elle accompagnait Mike pour « couvrir » les événements locaux. Aussi pouvait-on dire qu'elle était alors son assistante.

— Je me demande si vous êtes toujours aussi curieux des gens que vous rencontrez ? dit-elle avant qu'il pût poser une autre question.

— Seulement quand ces gens m'intéressent, Miss Sanderson.

— Alors, je dois me sentir flattée...

La danse se termina enfin à ce moment-là et il la lâcha. Ils restèrent au centre de la piste, les yeux dans les yeux.

— Pensez-vous réellement ce que vous venez de dire ? demanda le Maltais, d'une voix douce.

Ces quelques mots innocents avaient été prononcés d'une façon étrange, presque menaçante. Elle se sentit tremblante.

— Je ne comprends pas ce que vous voulez dire.

Il fit une petite grimace.

— Vous êtes bien trop astucieuse pour qu'il en soit ainsi, Miss Sanderson.

Le parquet de danse s'était vidé. Il lui prit le bras pour la ramener vers sa table, sur la terrasse. Quand ils l'atteignirent, il s'arrêta et regarda sa compagne de nouveau.

— Je suis certain qu'Arlene comprendra, si vous êtes trop occupée pour venir lui faire la visite promise.

Paula ouvrit la bouche pour répondre, mais aucun son n'en sortit. Il l'escorta jusqu'à sa table et sans lui adresser un mot de plus, il la quitta après un salut très bref à Neil et France, et un bonsoir global.

— As-tu découvert quelque chose de nouveau ? demanda Neil dans un murmure quand Falzon se fut suffisamment éloigné.

Paula fit un signe de tête négatif. Elle se sentait brisée, sans savoir exactement pourquoi. Il était impossible que quelques mots l'eussent mise dans cet état.

Quelques instants plus tard, Mike les rejoignit, très animé. Il s'adossa au dossier de sa chaise, confortablement, en disant :

— C'est réellement une fille épatante !

Paula lui lança un regard dénué d'intérêt.

— Elle s'appelle Sophia Gonzalès. Elle vit à Rabat où elle travaille comme guide dans une agence de voyages. Elle a déjà eu quelques rendez-vous avec Falzon, mais elle ne le connaît pas très bien et n'a jamais été invitée à la villa.

Paula parut s'animer.

— Vous ne lui avez pas posé la question, j'espère ?

— Oh ! seulement d'une façon détournée.

— Elle le lui répétera.

— Elle pourra seulement lui dire que je lui ai demandé un rendez-vous. Je suis plus subtil que vous ne semblez le croire. Et vous ? qu'avez-vous découvert ?

Elle regardait devant elle sans rien voir.

— Rien ! Rien du tout !

Les yeux de Mike se firent attentifs tandis qu'elle prenait son sac sur la table et son écharpe sur le dossier de son fauteuil.

— Je suis navrée d'interrompre si tôt la soirée, mais je suis fatiguée. Mike, s'il vous plaît, ramenez-moi à la villa.

Après un instant de silence pendant lequel il la regarda avec une interrogation dans les yeux, il écarta sa chaise, haussa les épaules pour le bénéfice de Neil et France et dit :

— Naturellement, je vous ramène si c'est ce que vous désirez.

***

— Si nous devons aller voir Arlene, nous avons intérêt à le faire le plus tôt possible, fit observer Mike, quelques jours plus tard, alors qu'ils prenaient un bain de soleil sur la terrasse de la villa. Nous rentrons dans trois jours, il ne nous reste donc plus grand temps.

Durant cette semaine, le hâle de Paula s'était confortablement renforcé. Les quatre avaient passé la plus grande partie de leur temps dehors, tirant le meilleur parti possible de la fin de leurs vacances.

La jeune journaliste n'avait pas besoin d'un tel rappel. La pensée de cette visite ne l'avait guère quittée et elle se demandait pourquoi exactement elle n'avait pas utilisé plus tôt l'invitation de l'actrice pour retourner à la villa Falzon. Mais elle savait que le baron avait quelque chose à voir avec cette répugnance.

— Eh bien, qu'en dites-vous, Paula ?

Paula, dans son minuscule deux pièces, avait le nez dans sa serviette. Mais il n'était pas question de paraître endormie. Elle savait que Mike n'abandonnerait pas si facilement le sujet.

Elle se redressa, s'assit et mit ses lunettes de soleil.

— Piero Falzon ne nous laissera pas l'approcher une nouvelle fois, dit-elle d'un ton péremptoire. Je peux vous l'assurer. Il a des yeux très expérimentés pour déceler les reporters trop curieux.

— Il ne sait pas que nous sommes des journalistes.

— Il le soupçonne.

— Je n'en suis pas surpris. Vous pouvez bien vous imaginer que vous serez un jour la gloire de Fleet street, mais ce jour est encore lointain. Vous êtes loin d'avoir terminé votre mue.

— Pas de morale, s'il vous plaît ! jeta-t-elle, avec un regard excédé.

Il eut un fou rire.

— J'établis simplement une vérité première. Je pense que nous n'avons pas à nous inquiéter de Falzon. Agissons simplement comme s'il n'existait pas.

— C'est impossible ! Il est chez lui, là-bas.

— Il n'y est certainement pas tout le temps. Il travaille, ne l'oubliez pas. De plus, elle n'est pas sa prisonnière, que je sache !

— Non, autant qu'il est possible de le savoir,

mais il fait de son mieux pour être informé de tous ses mouvements. J'en sais quelque chose.

» Ecoutez, Mike : Arlene, c'était une idée à moi. J'ai décidé de laisser tomber. C'est tout. Je lui téléphonerai avant notre départ pour lui dire tous mes regrets. Et ce sera parfait, de cette façon. Nous serons corrects sans être indiscrets.

Mike se mit sur ses pieds et alla s'accouder à la balustrade. Il guetta, pendant quelques instants, les bateaux qui quittaient le port, et l'île Manuel qui s'étendait au-dessous de la villa. Après être resté ainsi silencieux un grand moment, il se tourna de nouveau vers Paula, son corps bronzé luisant au soleil.

— J'admets que je n'étais pas très chaud quand vous avez soulevé cette histoire. J'avais le sentiment que les choses ne marcheraient pas toutes seules. Mais, comme vous, je pense qu'il y a un mystère là-bas. Et, de toute façon, il serait profitable d'être le premier à prendre une photo d'Arlene, après tout ce temps. Vingt ans !

Paula lui lança un regard implorant.

— Mike, je suis entrée chez elle sous un faux prétexte, et je me sens assez humaine pour me détester d'avoir agi ainsi.

Il lui lança un regard moqueur.

— Ainsi, voilà ce qu'est Paula Sanderson : la jeune louve qui doit mordre à belles dents ; la tempête qui prétend ravager Fleet Street comme une tornade tropicale. Regardez-la au naturel : un cœur tendre...

Paula fut incapable de soutenir son regard.

— Peut-être désirais-je être simplement une

journaliste locale pour mariages et autres festivités provinciales...

Mike sourit.

— Faible cœur ! se moqua-t-il. Allons. Allons, enfant ! Qu'est-ce que ce type vous a raconté l'autre nuit ? Vous n'êtes plus du tout la même depuis ce moment-là.

— Rien, répliqua-t-elle d'un ton acerbe. Cela n'a rien à voir avec Piero Falzon. Il s'agit simplement de décence. Mais il semble que vous ne soyez pas capable de le comprendre.

Il traversa la terrasse pour la rejoindre, et s'accroupit à ses genoux.

— Paula, ne vous sous-estimez pas. Je peux bien vous blaguer de temps à autre, mais, si l'on vous en donne le temps, vous serez une journaliste de première classe. Il faut pour cela garder la tête froide. N'abandonnez pas au premier obstacle. Il y aura des moments où vous serez obligée de mentir, de tricher, pour avoir une seule information. Mentir, même à un homme qui vous en imposera. Si vous abandonnez maintenant, vous vous mordrez les doigts plus tard. Vous avez déjà fait la moitié du chemin. Il est impossible que vous abandonniez à ce stade, Paula. Je ne veux pas le croire.

Personne n'aurait résisté à un discours aussi percutant. Paula avait les yeux brillants de rage quand elle les leva sur Mike.

— Bon ! Vous avez gagné, nous irons.

Brusquement, elle se mit à rire.

— Mais vous commencerez par me débarrasser de ce Piero, annonça-t-elle, le cœur battant à la simple idée de le revoir.

— C'est facile ! Nous partirons immédiatement après le lunch, ou peut-être déjeunerons-nous en route. C'est un homme de loi, avec une clientèle. Toutes les chances sont pour qu'il ne retourne pas déjeuner à la villa et ne rentre pas avant le soir.

— On fait la sieste dans ce pays. Il rentre peut-être pour la faire.

Mike eut un rire de bonne humeur.

— Il est bien plus vraisemblable qu'il reste à La Valette. De plus, il passe ses soirées avec Sophie Gonzales. Pouvez-vous imaginer comment il passe sa sieste ?

Paula se dressa et attrapa sa serviette.

— Très bien ! Mike, nous irons. Après tout, elle nous a invités.

En se redressant, elle sourit tristement :

— J'avertirai Carmela que nous serons absents pour le lunch.

— Si nous échouons, pour n'importe quelle raison, c'est vous qui paierez mon déjeuner.

— Ce sera avec plaisir, Miss Sanderson...

CHAPITRE V

Il faisait très chaud quand ils quittèrent Rabat où ils s'étaient arrêtés pour prendre un repas léger, dans le calme et l'ombre. Leur voiture était une fournaise lorsqu'il s'y installèrent de nouveau. Ils durent attendre un moment après avoir établi un semblant de courant d'air entre les portières.

Quand ils reprirent la route, c'est Paula qui donna les directives à Mike qui conduisait. Le vent chaud leur soufflait de la poussière à travers les glaces baissées. Paula avait mis un chapeau et des lunettes de soleil pour protéger un peu ses cheveux et ses yeux. Mais ce n'était pas suffisant.

La dernière fois qu'elle avait pris ce chemin, elle n'avait guère eu le loisir de contempler le paysage mais, maintenant, elle pouvait se rendre compte combien cette partie de l'île était déserte. Aucun village, quelques lointaines fermes isolées, des champs de vignes aux plants très au ras du sol pour éviter le vent autant que possible.

Le long de la route, quelques caroubiers, des pins de Judée et les inévitables figuiers de Barbarie. Le vent ravageait tout.

— C'est le bout du monde ! commenta Mike quand la route commença à devenir particulièrement mauvaise.

— Vous pouvez bien vous imaginer que cet isolement n'est pas le fruit du hasard. Je veux dire, en ce qui concerne la résidence d'Arlene, dit Paula.

Elle poussa un soupir. Le soleil brûlait son bras droit d'une façon presque intolérable, mais elle ne le retira pas de l'appui de la glace baissée.

— Je me sens très désolée pour cette femme, dit-elle, en regardant le paysage sévère.

Mike lui lança un bref coup d'œil avant de se concentrer de nouveau sur la conduite, qui n'était pas facile. Son corps solide était penché sur le volant.

— Beaucoup de vedettes l'envieraient, je pense. Elle s'est retirée quand elle était encore au faîte de sa carrière, et il semble évident qu'elle ne vit pas dans la pénurie.

— Vous parlez seulement de choses matérielles, Mike. Pour le moment du moins. Mais ce Piero Falzon ne doit pas être facile à vivre tous les jours. Et elle l'aime. J'ai pu m'en rendre compte immédiatement. Elle l'aime vraiment. Et lui, passe son temps avec des filles comme cette Sophie Gonzales...

— Ça ne veut pas dire qu'Arlene ne compte pas pour lui.

— Pas de la même façon. Elle en est folle !

— Oh ! les femmes ! grommela Mike, sarcastique.

— Pourquoi la laisserait-il vivre dans cette maison auprès de lui s'il ne se souciait pas d'elle ? Comment cela s'expliquerait-il donc ?

Paula soupira.

— Et s'il exploite l'amour d'Arlene et sa propre habileté d'homme de loi pour l'entortiller ? Je pourrais jurer qu'elle est absolument nulle en ce qui concerne le maniement de l'argent. Souvenez-vous comme elle a paru embarrassée quand il a fallu simplement qu'elle règle le garçon, l'autre jour, au café ? Dans ce cas, l'exil qu'elle s'impose ne peut que le servir. Il ne l'encourage pas à en sortir, au contraire. Cela me semble très significatif.

— Je vous ai déjà prévenue, Paula, de ne raconter cela devant personne. Même si nous arrivons à obtenir cette interview, il est bien certain qu'il ne faudra pas mettre une question de ce genre sur le tapis. Si ce que vous pensez est vrai de la part de Falzon, n'oubliez pas qu'il est beaucoup plus malin que vous pour déjouer tous les pièges qu'on pourrait lui tendre.

— Oui ! Il est certainement très adroit, dit Paula amèrement.

Puis elle se redressa sur son siège.

— Nous arrivons au tournant, Mike.

Il réduisit la vitesse presque jusqu'à l'allure de la marche.

— Puis-je laisser la voiture ici ?

— On peut aller plus loin... à condition de ne trouver aucune voiture arrivant en sens inverse.

Avec un haussement d'épaules fataliste, il engagea la voiture dans le sentier.

— Il y a certainement peu de chances de rencontres...

Comme la voiture cahotait le long du chemin, Paula se souvenait très nettement de son premier voyage ici, une semaine plus tôt, lorsque Pierro Falzon l'avait escortée jusqu'à son véhicule. Sottement, le souvenir le plus précis de cette marche dans le mauvais chemin, c'étaient les chaussures élégantes du baron, pleines de poussière.

Lorsque le sentier s'élargit, Mike se gara sur le côté et ils descendirent de la voiture. Paula retira son chapeau de paille, le jeta dans le fond, sur le siège arrière, et laissa ses cheveux se répandre sur ses épaules. Elle se tint près de la voiture quelques instants, pendant que Mike vérifiait sa caméra.

Une fois de plus, elle admirait la vue merveilleuse que l'on avait de cet endroit, à travers de petites îles, jusqu'à la haute mer. Les ancêtres de Piero Falzon avaient réellement su choisir leur point de chute sur ce qui avait dû être le coin le plus recherché de Malte à l'époque des pirates. Aucun ennemi ne risquait d'attaquer par surprise.

— Nous allons essayer de la persuader de se laisser interviewer, dit-elle à Mike d'un ton d'avertissement. Mais avec le plus de tact possible.

Il approuva d'un signe de tête et claqua la portière de son côté. Puis il dit :

— Les acteurs et les actrices sont des gens invariablement imbus d'eux-mêmes. Si nous faisons appel à sa vanité, nul doute ! Nous devrions y arriver.

La grande porte n'était pas fermée à clé, tout comme la première fois, et Paula guida Mike à travers la cour-jardin, vers la villa. Mike s'attardait, très impressionné.

— Cet endroit est fameux ! dit-il enfin en rejoignant sa compagne. C'est comme un jardin secret et féerique après la sécheresse des environs.

— Les arbres de Malte réclament de grands soins, lui dit-elle. Le vent érode le sol. Les arbres ont du mal à survivre. On n'y parvient qu'à l'aide de soins constants. Les hauts murs qui entourent cet endroit forment un coupe-vent, certainement très bien étudié. Et puis, vous verrez plus loin, Mike, il y a de l'eau en quantité.

— Quelle science, Paula ! Vous avez bien étudié votre sujet.

— Pas du tout. Je suis simplement une dévoreuse de bouquins. C'est vous-même qui m'avez nommée ainsi. J'ai fait mon travail habituel. Il se trouve que cela est en situation aujourd'hui.

Paula arriva à la porte la première et frappa, sachant que si elle hésitait, fut-ce une seconde, elle s'enfuirait au lieu de tenir ses nerfs en respect. Ce qu'elle essayait de faire, pour l'instant. Cette sorte de faiblesse, qui était nouvelle chez elle, l'intriguait et l'inquiétait un peu.

Le bruit du marteau coupa le silence d'une façon qui semblait irrévérencieuse. Comme s'il eût été un sacrilège d'utiliser cet instrument pour détruire le calme du lieu.

— Vous n'avez pas exagéré en vantant les charmes de l'endroit, murmura Mike. Je me retirerais bien du monde si je possédais un pareil domaine !

— Attendez jusqu'à ce que vous ayez vu l'intérieur... Il contient des merveilles. Il me semble que j'entends quelqu'un.

La porte s'ouvrit en effet. Evelyn Harding se tenait sur le seuil, les yeux clignotants. Paula prit l'initiative.

— Miss Harding, vous vous souvenez de moi, je pense ? Paula Sanderson. Je suis venue il y a une semaine et Miss Hayne m'a fait promettre de revenir la voir avant mon départ de Malte. Je vous présente mon ami, Mike Cavanagh, qu'elle désirait voir également.

La femme recula d'un pas et écarta ses cheveux clairs de ses joues humides. Elle regarda nerveusement derrière elle comme en quête d'assistance, avant de sourire faiblement.

— Arlene n'est pas là, je regrette beaucoup.

Mike avança dans le hall avant qu'elle eût eu le temps de refermer la porte, ce qui fit reculer Evelyn d'un pas de plus.

— Est-elle à La Valette ? demanda-t-il aimablement.

— Je ne... je ne sais pas exactement.

— Mais, vous savez quand elle rentrera ? demanda Paula.

— Non, je ne pourrais le dire... Peut-être...

— Nous pourrions l'attendre, dit Mike, avant que Paula pût prendre la parole.

En réalité, elle était plutôt soulagée de l'absence d'Arlene.

— Oh... réellement, je ne peux...

— Evelyn, qui est-ce ?

Evelyn Harding fit un brusque demi-tour, au moment où Arlene arrivait du fond du hall, Cary sur les talons.

Evelyn poussa un profond soupir.

— Arlene, où étiez-vous ? Vous savez que le soleil vous donne toujours mal à la tête.

L'actrice sourit joyeusement.

— Aucune trace aujourd'hui, ma chère. Qui... ?

Elle s'avança et, soudain, son visage s'éclaira.

— Paula ! Paula, ma chère ! Je suis si heureuse que vous soyez revenue.

— Je vous l'avais promis !

Elle détacha ses mains de celles d'Arlene et se tourna vers Mike, un peu embarrassé.

— Vous avez déjà rencontré Mike Cavanagh, Arlene.

— Bien sûr. Je suis ravie de vous revoir. Je vous emmène dans le salon du premier, et nous prendrons le thé ensemble. Evelyn, demandez donc à Maria d'en préparer.

La femme semblait prête à faire une objection, mais s'en abstint.

— Mais peut-être préféreriez-vous boire quelque autre chose ?

— Le thé sera parfait pour moi, répondit Paula doucement.

Elle se sentait de nouveau peu à l'aise. La joie d'Arlene en la voyant était presque pathétique, ce qui n'améliorait pas les remords de conscience de la journaliste.

— Vous n'avez pas fait la sieste, rappela Evelyn.

Arlene se mit à rire.

— Plus tard, Evelyn. J'aurai bien le temps plus tard. Ce n'est pas tous les jours que nous avons des visiteurs dans la maison. Montez donc, tous les deux.

Evelyn rôdait encore dans le hall quand Arlene les introduisit dans la pièce et ferma la porte.

— Cette pauvre fille est toujours en train de faire des embarras, continua-t-elle joyeusement. Mais je ne sais pas ce que je ferais sans elle ! ajouta-t-elle honnêtement.

Elle les regarda gentiment.

— Je ne m'attendais pas à vous revoir ici, dit-elle.

— J'avais promis, lui fit remarquer Paula en s'asseyant.

Cary monta sur le sofa et se mit en rond à l'une des extrémités pour s'endormir presque immédiatement.

— Eh bien, je suis heureuse que vous ayez tenu cette promesse.

— Nous quittons Malte dans trois jours, dit Paula vivement.

Et les yeux d'Arlene se voilèrent.

— Quel dommage ! Juste au moment où je fais votre connaissance ! Mais vous devez être impatiente de revoir votre famille et vos amis.

— Oui. Ce sera très agréable de se retrouver à la maison.

— La maison..., répéta Arlene rêveusement. J'ai presque oublié à quoi ressemble l'Angleterre...

— Vous n'y revenez jamais ? demanda Mike, s'avançant sur son siège.

Paula eut brusquement les mains moites.

Arlene eut un mince sourire et hocha la tête.

— Non ! je n'y suis pas retournée depuis des années et des années. Je ne peux même plus me souvenir de la date. Piero, le pauvre, est toujours si occupé...

— Vous pourriez y aller seule ? Ou avec Miss Harding ? lui fit remarquer Mike.

Arlene eut un petit rire nerveux.

— Oh ! Non ! Je ne ferais jamais ça. Aller quelque part sans Piero ?

Mike et Paula échangèrent un coup d'œil et abandonnèrent le sujet, car, juste à ce moment, Evelyn les rejoignit, apportant elle-même le plateau du thé.

— Les domestiques sont en train de faire la sieste, expliqua-t-elle. Ils n'abandonneront pas cette habitude parce que vous, Britanniques, ne la faites pas. Arlene, j'ai apporté du citron pour vous.

— Merci, ma chère. C'est gentil d'y avoir pensé.

Evelyn posa le plateau sur le guéridon central et fit mine de servir le thé. Mais Arlene l'arrêta.

— Merci, ma chère. Je le ferai moi-même.

Une fois de plus, Evelyn fut prise de court et sembla se demander ce qu'elle devait faire. Elle se serait sans doute assise sur le sofa près de Mike si Arlene n'avait dit :

— C'est bien, merci, Evelyn. Vous pouvez disposer si vous le désirez. Je n'ai pas besoin de vous pour le moment.

Evelyn jeta un regard à la ronde et se mordit la lèvre. Puis elle se retira en disant :

— Si vous avez besoin de quoi que ce soit, Arlene, appelez-moi. Je ne serai pas loin.

Quand elle fut partie, l'actrice continua à servir le thé.

— Pauvre Evelyn ! glousa-t-elle. Certains jours, elle m'ennuie...

— J'ai toujours adoré une bonne tasse de thé.

Heureusement c'est très facile de s'en procurer d'excellent, à Malte. Evidemment le gouvernement actuel voudrait bien effacer l'influence anglaise, mais cela ne paraît pas facile...

Sur le plateau, Evelyn avait entassé des gateaux qui semblaient excellents. Ni Paula ni Mike n'y résistèrent, pour le plus grand plaisir de leur hôtesse. Mais Paula remarqua qu'elle-même se contentait de boire son thé et de fumer une cigarette.

— La grande chaleur finit par vous couper l'appétit, dit-elle.

— Cela ne me fait pas cet effet, déclara Mike en prenant un troisième gâteau.

— Vous n'êtes pas ici depuis assez longtemps.

Pendant qu'ils goûtaient, Arlene dirigeait la conversation.

Elle leur demanda comment ils passaient leurs vacances et leur donna quelques conseils pour leurs derniers achats. Quand Paula finit sa deuxième tasse de thé, Arlene allumait sa troisième cigarette et Mike semblait nerveux.

Il n'était pas venu pour bavarder autour d'une tasse de thé. Ils donnaient plus d'informations qu'ils n'en recevaient.

Comme si elle se rendait compte qu'elle était trop prolixe, Arlene fit entendre ce petit rire étouffé qui lui était particulier.

— Il faut me pardonner. Je reçois si peu de visites...

— Vous l'avait fait avec intention, répliqua Mike.

L'actrice parut mal à l'aise puis sourit de nouveau.

— J'ai eu un accident qui m'a laissée lasse très

longtemps. Juste au moment où j'étais le plus harcelée par les journalistes. Je ne pouvais parler au laitier sans susciter de commentaires, de Londres à Bombay... Je dus devenir un expert en déguisements et dérobades. C'est ainsi, je pense, que c'est devenu une habitude. Maintenant, tout cela n'intéresserait plus personne.

Paula se sentait plus coupable que jamais quand elle osa regarder Mike qui fixait tranquillement Arlene. Il semblait n'avoir, lui, aucune crise de conscience.

— Bien sûr, Miss Hayne, c'est bien compréhensible.

— Oh ! appelez-moi Arlene, comme Paula, s'il vous plaît.

Elle lança à Paula un sourire difficile à retourner.

Mike pouvait être charmant quand il l'avait décidé.

— Avec plaisir, Arlene, riposta-t-il gaiement. N'avez-vous jamais songé à faire votre rentrée dans les studios ?

Le sourire de l'actrice parut se figer, puis réapparut.

— Je reçois encore de nombreuses propositions de contrat. Mais je n'ai jamais été aussi heureuse que depuis que je suis ici. De plus, je suis sûre qu'il est trop tard maintenant.

— Quelle erreur ! Vous n'êtes pas oubliée. Même les jeunes vous connaissent, grâce à la télévision.

— Paula a raison, affirma Mike.

Arlene sourit de nouveau et son regard troublé disparut.

— La télévision est une invention remarquable. Vous voyez des films qui ont été tournés bien avant votre naissance.

— Mon favori est « Une femme dangereuse », dit Mike.

Arlene alluma une autre cigarette avec des doigts tremblants.

— Je n'aime pas parler de cette époque, dit-elle brusquement. Vous m'intéressez davantage. De quelle région êtes-vous ?

— Porthvale, dit Paula, trop vite pour le plaisir de Mike.

— Mais, c'est ma ville natale...

Pendant quelques minutes, Paula répondit à des questions bien précises. Le cinéma Rex existait-il toujours ? Le Carlton occupait-il toujours l'angle de la Grand-Rue ? Est-ce que Paula savait qu'Arlene avait été vendeuse chez Timms pendant quelques mois ?

Mike semblait s'ennuyer, mais Paula était enchantée que l'actrice, au milieu de tous ses bavardages, eût su garder ses secrets. Elle ne savait trop pourquoi, mais c'était ainsi. En outre, elle savait qu'elle pourrait faire un bon reportage avec ce qu'elle avait déjà glané. La villa... l'isolement... le soleil... Elle pourrait même dire un mot de Piero Falzon... Aucune allusion à ce que pouvaient être leurs rapports. Ce serait du mauvais journalisme. Les lecteurs tireraient leurs propres déductions...

— Vous vivez dans un paysage merveilleux, dit Mike. Je crois que cette majestueuse propriété appartient à monsieur Falzon ?

— Je l'ai déjà dit à Paula, l'autre jour. Elle

appartient à sa famille depuis dix siècles. Elle a essuyé de nombreux assauts. Bien sûr, elle était beaucoup plus fortifiée à cette époque... Les ancêtres de Piero sont arrivés à Malte avec le duc Roger de Normandie.

— Connaissez-vous Falzon depuis longtemps ?

— Oh, oui ! Très longtemps.

Il y eut un grand silence et, quand il devint évident qu'elle n'en dirait pas davantage sur le sujet, les doigts de Mike allèrent chercher sa caméra.

— J'aurais beaucoup aimé prendre une photo de vous avant mon départ.

Arlene parut alarmée et Paula dit vivement :

— Non, Mike.

Il lui lança un regard acéré et ajouta d'un ton persuasif :

— Comme souvenir.

La main d'Arlene se glissa vers sa gorge. Comme le premier jour, songea Paula, mécontente de Mike.

— Non... Je ne préférerais pas...

— Oh ! Allons donc ! dit-il d'un air enjôleur. Une seule.

— Je n'ai jamais laissé prendre de photo de moi depuis... depuis que j'ai quitté le cinéma.

— Donc, il est grand temps ! dit-il en souriant.

Il commença à préparer tout ce qui lui était nécessaire, et Paula dit vivement :

— Vous voyez bien qu'Arlene n'y tient pas.

Il lui fit un sourire vague.

— Il n'y a sûrement aucun mal à en faire une. Peut-être me laisseriez-vous vous prendre avec Paula ?

Il leva sa caméra et la dirigea vers Arlene.

— Il n'y aura pas d'éclair de flash pour vous ennuyer, Arlene. C'est un appareil très perfectionné.

L'actrice continuait cependant à paraître troublée, effrayée même.

— Vraiment, je ne...

Paula s'était levée.

— Mike, elle ne le désire pas. Comprenez-vous ?

Il baissa sa caméra et lui lança un regard foudroyant.

— Qu'est-ce qui vous arrive, Paula ?

Elle n'eut pas l'occasion de répondre à sa question. La porte, à cet instant, s'ouvrit à la volée et Piero apparut sur le seuil, le visage convulsé de rage. Derrière lui, on apercevait la silhouette terrifiée d'Evelyn Harding.

— Baissez cet appareil, tonna Falzon.

L'ordre était donné d'une voix si impérative que Mike, instinctivement, obéit tandis que le baron s'avançait à grands pas dans la pièce. Paula ne pouvait le quitter des yeux, mais Arlene semblait avoir peur et cela étonna de nouveau la jeune fille.

— Piero ? Que faites-vous ici ? demanda Arlene d'une voix tremblante.

— Je suis venu découvrir ce qui s'y passe.

Il leva un regard malveillant et accusateur sur Paula qui fut obligée de baisser les yeux.

— Piero..., répéta Arlene.

Puis elle jeta un regard hautain sur Evelyn qui se cachait derrière la haute stature du maître de maison.

— Evelyn, c'est vous qui l'avez prévenu que j'avais une visite ? Ne niez pas.

La pauvre Evelyn était en larmes.

— Je regrette, Arlene, mais je devais le faire.

— Je ne vois vraiment pas..., commença Mike, hautain.

— Vous, taisez-vous ! ordonna le baron.

Piero alla vers Arlene et la prit aux épaules dans un geste de protection.

— Que vous ont-ils dit ?

— Rien, rien du tout. Je ne vois pas ce que vous voulez dire..., balbutia Arlene. Que vont penser ces jeunes gens de nous ?

— C'est exact, dit Mike, belliqueux, les mains sur les hanches.

Falzon les enveloppa tous deux dans un même regard glacial et hautain.

— Ces soi-disant jeunes gens charmants sont également des journalistes ! déclara-t-il.

— Quoi ?

Arlene les fixait tous deux, stupéfaite, mais lui ne quittait pas Paula des yeux.

— Ils ont triché, menti, pour vous arracher des confidences, dit-il s'adressant à elle d'une voix fort douce, presque caressante.

Mais son regard restait aigu tandis qu'Arlene observait tour à tour Paula et Mike.

— Est-ce vrai ?

— Oui, c'est vrai déclara Mike avec irritation. Qu'y a-t-il de mal à ça, pour l'amour du ciel ?

Arlene ferma les yeux et porta la main à une de ses tempes.

— Je ne répondrai à aucune question, aucune..., gémit-elle.

— Vous n'aurez pas à le faire, lui dit Piero.

— Mais ils vont dire des choses affreuses sur moi. Ils ne comprendront pas...

— Nous ne ferons rien de ce que vous ne souhaitez pas, l'assura vivement Paula.

La vue de cette femme alarmée lui était proprement insupportable. Piero lui lança un regard furieux.

— Voyez donc ce que vous avez déjà fait.

Paula fut immédiatement sur la défensive.

— Regardez ce que *vous-même* avez fait. Nous prenions tranquillement le thé et vous êtes arrivé comme un ouragan vengeur...

Elle se détourna, incapable de dire un mot de plus. Presque aussi choquée qu'Arlene, elle sentait ses mains trembler.

L'actrice soupira faiblement, avec tristesse, mais la panique avait disparu de son regard, au grand soulagement de la jeune fille.

— Je vous demanderai de m'excuser, dit Arlene d'une voix faible. Je sens qu'une de mes terribles migraines commence.

Evelyn la prit doucement aux épaules et la poussa vers la porte.

— Venez, Arlene ! Venez vous reposer un peu. Ensuite, vous vous sentirez mieux.

Elle permit à Evelyn de lui prendre le bras. Comme elles passaient devant Paula, celle-ci voulut s'expliquer.

— Arlene, s'il vous plaît, laissez-moi vous dire, avant de vous quitter... Quand je suis venue pour la première fois, oui, je voulais avoir une interview de vous. J'étais à la recherche d'un bon reportage, mais aujourd'hui, je vous jure, je suis revenue seulement pour vous voir. Parce que j'avais besoin de vous revoir. Pour votre propre bien, me semblait-il.

Arlene sourit faiblement.

— Je vous assure que je vous crois. Ne vous inquiétez pas. Mais, je vous en prie, n'écrivez rien à mon sujet. Rien. Vous me le promettez ? Je serais incapable de faire face, de nouveau, à une meute de journalistes. Comprenez-vous ?

Paula sourit et hocha la tête.

— Je vous promets que la révélation de votre retraite ne sera pas divulguée par moi. Par nous.

Elle eut un regard vers Mike qui gardait obstinément les yeux baissés sur le sol. Puis elle porta les siens sur Falzon. Mais elle dut rapidement les détourner. Cette fois, c'était parce qu'ils étaient pleins de larmes.

Comme Arlene Hayne quittait la pièce avec Evelyn, Mike attrapa sa caméra.

— Venez, Paula. Filons d'ici.

Elle le suivit lorsqu'il franchit le seuil du petit salon. Si seulement, pensait-elle avec amertume, si seulement Falzon n'avait pas fait une entrée aussi fracassante, juste à ce moment, jamais Arlene n'aurait su qu'ils étaient journalistes. Et elle savait bien, elle, Paula, qu'elle n'aurait jamais trahi la confiance d'Arlene.

— Encore un mot avant que vous partiez, dit le maître de maison.

Et ils se retournèrent ensemble pour rencontrer un regard fulgurant.

— Si je trouve dans n'importe quel journal un

article, un mot même, sur Miss Hayne, j'écrirai personnellement à votre directeur pour lui faire part des méthodes peu scrupuleuses qu'utilisent ses reporters pour pénétrer dans ma maison, sous de faux prétextes.

» Et cela, je puis vous l'assurer, n'est pas une menace en l'air.

Paula se redressa et se rendit compte, seulement à cet instant, qu'elle transpirait abondamment.

— J'ai déjà promis à Arlene que rien ne serait écrit à son sujet. Cela ne vous suffit pas ?

Les lèvres du seigneur maltais dessinèrent une ombre de sourire qui indiquait comment il accueillait semblable promesse. Cela l'ulcéra. Mais, au fond d'elle-même, elle ne pouvait le blâmer de ce scepticisme qui l'atteignait beaucoup plus qu'elle n'aurait jamais pu l'imaginer.

Mike la prit par le bras et au moment où ils passaient la porte, Paula se détourna encore une fois vers le baron.

— J'aimerais cependant savoir comment vous avez découvert qui nous étions.

Le sourire de dérision était encore sur ses lèvres quand il traversa la pièce pour s'approcher d'eux.

— Je ne suis pas sans influence à Malte, dit-il d'un ton plein de hauteur et de sévérité. Vos occupations étaient clairement établies sur votre fiche d'entrée sur le territoire. Ces papiers que vous avez remplis selon l'usage avant de quitter l'avion, révélaient votre identité.

Paula ouvrit la bouche, dans sa surprise, et Mike l'entraîna rapidement hors de la pièce. Severino les attendait au portail, et lorsque le battant se fut refermé derrière eux. Paula poussa un soupir de soulagement.

— Une seconde de plus et j'aurais eu cette photo, grommela Mike, comme ils traversaient le jardin.

CHAPITRE VI

Paula dut hâter le pas pour le rattraper. Mais elle fut heureuse qu'un peu de fraîcheur eût remplacé la chaleur accablante de la mi-journée.

— Si vous l'aviez fait, il aurait fracassé votre caméra. J'ai rarement vu quelqu'un d'aussi furieux.

Mike fit entendre un petit rire.

— Il en aurait bien été capable !

— Et je n'aurais pas pu lui donner tort...

Il lui lança un regard vif.

— Que voulez-vous dire, Paula ?

— Simplement qu'il était inexcusable de votre part d'essayer de la tromper pour l'inciter à se faire photographier. Un souvenir... Quelle audace !

Il rit jaune.

— Tout cela était pourtant votre idée.

— Mon idée était de la persuader de nous donner une interview, et non pas de lui soutirer des informations par des moyens malhonnêtes, ou, en tout cas, détournés. Je ne pourrai jamais travailler de cette façon.

— Alors, vous ferez mieux d'oublier votre idée

de devenir une journaliste de choc. Il faudra vous en tenir aux enterrements de première classe... A commencer par celui de vos illusions.

Ils étaient arrivés au grand portail. Elle attendit tandis qu'il l'ouvrait. Peinée de sa dernière réflexion, elle lui dit, à mi-voix :

— Peut-être m'en tiendrai-je là, en effet. Quand j'ai vu à quel point elle était en détresse...

— Bah ! Elle a un tempérament de comédienne.

Il lui tint la porte mais, juste au moment de franchir ce pas, elle hésita.

— N'avez-vous rien entendu, Mike ?

— Quoi ?

— Quelque chose comme un cri ou une violente exclamation.

Mike sembla exaspéré.

— Non. Je n'ai rien entendu. Ce pouvait être une mouette. Nous ne sommes pas très loin de la mer.

Paula leva les yeux vers le ciel qui s'assombrissait.

— Non. Ce n'était pas une mouette.

— Vous pensez qu'ils sont en train de s'entretuer ? Qu'est-ce que cela peut bien vous faire, maintenant ?

Paula passa la grille et Mike claqua la porte derrière eux.

— Elle était très troublée, dit-elle.

— Qui ne l'aurait pas été, après la façon dont ce Falzon a fait irruption dans le salon ? Cet homme mériterait qu'on lui flanque son poing sur la figure. Nous étions là sur invitation. Il n'a pas paru s'en souvenir...

Paula soupira.

— Nous étions chez lui et il usait simplement de son droit. Je me sens salie par toute cette affaire.

Il hocha la tête et sembla ennuyé de lui voir de tels sentiments. Mais il ne répondit pas.

Quand ils entrèrent dans la voiture, ils eurent de nouveau l'impression d'entrer dans le four d'un boulanger en pleine activité. Mais cette impression ne fut pas aussi pénible à Paula que d'habitude. Elle en tira même une espèce de satisfaction. Comme si elle avait besoin de faire pénitence pour ses péchés.

— De toute façon, dit Mike en s'installant près d'elle et claquant la portière, nous devrions tirer quelque chose de cette affaire. Nous avons une bonne idée de son environnement, et elle nous a fait, de plus, pas mal de confidences, si nous savons nous faire lire entre les lignes. J'espère que vous pourrez vous rappeler tout cela. Nous pourrons toujours dénicher une vieille photo dans les archives.

La voiture allait doucement sur le chemin étroit. Paula eut vers Mike un regard écœuré.

— J'ai fait une promesse, Mike. Et je n'ai pas du tout l'intention de revenir là-dessus.

Il enleva ses mains du volant et les y plaqua de nouveau avec violence.

— Oh ! Pour l'amour du ciel, Paula !

— Je veux tenir mes promesses, répéta-t-elle calmement. C'est une de mes originalités, que voulez-vous ?...

Jetant un coup d'œil de côté, elle vit le visage de Mike convulsé de colère.

— Si cela vous dérange, reprit-elle, que pensez-vous de la menace d'écrire à notre directeur ? Je peux vous assurer que Falzon la tiendrait. On n'a pas besoin de l'avoir vu souvent pour en être sûr.

Mike rit de nouveau, méchamment.

— Ne soyez pas ridicule ! Cela n'a aucune importance ! Si chaque directeur de journal devait tenir compte des lettres de protestations qu'il reçoit, il n'y aurait plus de journalisme possible. Et, partant, plus de journaux !

— Piero Falzon n'est pas un lecteur ordinaire. Sa protestation aurait du poids. Et il s'agirait d'Arlene.

— Falzon n'est pas un superman. Vu du côté de notre directeur, il n'est jamais que le gigolo d'Arlene Hayne. Cela ne lui donnerait pas grand poids.

Paula regardait obstinément la route étroite devant eux. Mike conduisait sans aucune précaution.

— Ralentissez, dit-elle presque automatiquement. Si quelqu'un débouche du tournant à la même allure que vous...

— Il n'y a jamais personne sur cette route, elle ne mène nulle part. Ne vous tracassez donc pas !

Il appuya un peu plus sur l'accélérateur, et Paula se sentit dépassée par les événements. Mike conduisait sous l'impulsion de la colère. Il était coutumier du fait. Il valait mieux maintenant s'en remettre à la grâce de Dieu...

— Ne pensez pas que je céderai pour cette fois, Mike, car je ne le ferai pas. J'ai promis, dit-elle, tranchante.

— Oh ! Ça va ! Ne faites pas l'enfant !

— Eh bien, je pense que, justement, je commence à devenir adulte, répliqua-t-elle. Si espionner la vie des gens est du journalisme, je préfère prendre un travail de secrétariat.

— Comme vous voudrez, répliqua-t-il, d'un ton aussi dur que le sien. Mais je l'écrirai moi-même cet article !

La voiture prit le virage sur les chapeaux de roues pour se trouver face à face avec une charrette à âne conduite par un vieil homme.

Paula poussa un grand cri quand Mike lança leur véhicule de côté pour tenter de l'éviter, bien qu'il y eût bien peu de chances d'y réussir sur une route aussi étroite.

L'âne se cabra et les freins hurlèrent, tandis qu'un haut mur semblait courir au-devant d'eux.

— Attention ! essayez de sauter ! furent les derniers mots qu'entendit Paula avant que la douleur explosât dans sa tête.

Les lumières étaient intolérablement brillantes. Paula essaya de se détourner pour les éviter, mais de quelque côté qu'elle essayât, sa tête la faisait abominablement souffrir.

Quelqu'un gémissait et Paula comprit que c'était sa propre voix qu'elle entendait. Ses lèvres étaient sèches et douloureuses. Tout son corps d'ailleurs lui faisait mal.

Ce fut un grand effort pour elle d'ouvrir les yeux, et quand elle y parvint ce fut le visage de Piero Falzon qu'elle vit, penché sur elle.

Elle rabaissa ses paupières rapidement. Quand

elle osa les soulever de nouveau, c'était un étranger qui était au pied de son lit, ou plutôt une espèce de visage désincarné qui lui souriait.

— Comment vous sentez-vous ? demanda le fantôme.

— Je... je ne sais pas... Qu'est-il arrivé ? Où suis-je ?

— Tout va bien. Ne vous inquiétez pas.

Paula essaya de froncer les sourcils pour mieux voir, et le fantôme devint un visage perdu dans un brouillard, une religieuse, en vêtements blancs. Ce fut ce que comprit Paula, juste à cet instant. Une croix pendait au bout d'une chaîne.

— Où suis-je ? répéta la jeune fille.

— A l'hôpital de Notre-Dame-des-Grâces à Rabat.

Le mot hôpital éveilla comme un écho dans son esprit. Alors, elle se souvint. Ses yeux s'écarquillèrent de terreur et ses doigts s'agrippèrent au drap.

— La voiture ! Elle n'arrivait pas à s'arrêter...

La religieuse posa ses doigts sur le poignet de Paula et de sa main libre pressa un bouton, près du lit.

— Ne vous inquiétez pas. Vous allez bien.

Paula la regarda, en quête d'explications.

— Le... garçon qui était avec moi ? Mike. Mike Cavanagh. Il faut me dire...

La religieuse eut un regard très doux et elle sourit à Paula.

— Il va bien. Bien mieux que vous. Monsieur Cavanagh s'en tire avec quelques coupures et des contusions. Il a quitté l'hôpital ce matin.

— C'est vrai ? Bien vrai ?

La religieuse sourit de nouveau.

— Pourquoi pensez-vous que je vous dirais autre chose ?

Paula se laissa aller sur son oreiller.

— C'est un tel soulagement...

— Vos préoccupations sont naturelles mais il faut penser à vous, maintenant.

Jusque-là, sa propre condition ne l'avait pas inquiétée. Maintenant, elle voulait savoir.

— Suis-je gravement blessée ? demanda-t-elle.

Elle essaya de porter les mains à son visage mais la sœur les retint et les replaça sur le drap.

— Vous souffrez de contusions, c'est tout. Vous avez eu de la chance. Tout ce qu'il vous faut maintenant, c'est du repos.

La porte s'ouvrit et un homme en blouse blanche se dressa devant ses yeux qui commençaient à s'alourdir. Il dit quelque chose à la sœur, que Paula ne put comprendre. Le Maltais est une langue difficile pour les étrangers. Il rappelle l'arabe et doit beaucoup à l'influence maure.

Pour Paula, juste avant qu'elle ressentît une légère piqûre au bras et retournât à son inconscience, cette conversation en langue inconnue était pire que l'habituel dialogue entre une infirmière et le médecin traitant.

— Je commençais à croire que vous ne vous éveilleriez jamais..., dit Mike en grimaçant un sourire, quand Paula ouvrit les yeux.

La migraine avait disparu et elle se sentait moins désorientée que la première fois qu'elle avait ouvert les yeux dans cet hôpital. Le soleil brillait sur le carrelage nu de la petite chambre.

Elle regarda son visiteur un moment avant de dire :

— Oh ! Mike, comme cela me fait plaisir de vous voir.

Puis, encore à demi endormie, elle eut une crise de fou rire.

— Quel coquart vous avez là !...

Mike porta une main à son œil et prit l'air lugubre.

— Personne ne voudra croire que j'ai attrapé cet œil au beurre noir dans un accident de voiture.

Sérieuse, de nouveau, elle dit :

— Je craignais tellement que vous soyez grièvement blessé ou pire...

— J'ai autant de vies qu'un chat, répliqua-t-il. Bien plus important est de savoir comment vous vous portez.

— Je n'ai pas été éveillée assez longtemps pour m'en rendre compte, mentit Paula qui souffrait de partout dès qu'elle bougeait.

— France et Neil ont été à votre chevet presque tout le temps et ils vont bientôt revenir. Pour le moment, ils sont à la villa pour veiller à ce que tous les bagages soient prêts à temps.

— Les... bagages ? dit-elle en fronçant les sourcils.

— Nous sommes samedi.

A cette nouvelle, elle essaya de se relever mais n'y réussit pas.

— Samedi ? Mais... l'accident a eu lieu mercredi.

— Et nous avons passé trente-six heures torturantes.

Il quitta son air de bonne humeur, pour dire, anxieux :

— Paula, comment pourrez-vous me pardonner ? Je me sens le pire des crétins du monde entier. C'est moi qui devrais être au lit, à votre place.

Paula posa sa main sur la sienne.

— Je ne veux pas entendre un mot de plus sur ce sujet. C'est un accident et il aurait pu arriver à n'importe qui et n'importe où. Nous n'avons guère l'habitude des charrettes à âne, les uns et les autres...

— Je ne mérite pas une telle générosité de votre part, après la façon dont je me suis comporté. Mais je peux cependant dire que ce n'est pas tout à fait ma faute. J'aurais pu freiner plus rapidement si la voiture avait été en bon état. C'est la police qui en a fait la constatation.

— Avez-vous eu des ennuis avec elle ?

— Non, mais le garagiste en a eu, lui... !

Paula soupira en jetant un regard circulaire sur la petite chambre nue et austère. Un lit, une table de nuit, et quelques sièges pour les visiteurs.

La porte s'entrouvrit et la tête brune de France parut dans l'entrebâillement. Quand elle vit Paula éveillée, elle poussa davantage le battant et entra, suivie de Neil. Celui-ci souriait.

— Bienvenue dans le monde des vivants, petite sœur !

— Merci. Je regrette d'avoir gâché vos derniers jours de vacances.

Tous se récrièrent à qui mieux mieux.

— Comment va cette tête ? demanda Neil.

— Revenue à sa taille normale.

— Eh ! On ne sait jamais ! la taquina son frère.

— Ne faites pas attention à ses bêtises, dit France. Avez-vous déjà vu vos fleurs ?

Paula tourna la tête et vit trois bouquets dans l'eau du lavabo.

— Qu'elles sont belles ! s'exclama-t-elle en souriant.

Neil désigna la première gerbe : roses et œillets.

— Celles-ci sont de Mike. Et les roses jaunes de France et moi. Nous avons décidé d'égayer un peu cette chambre.

— Merci à vous tous, dit Paula en riant. Qui est responsable de l'envoi des orchidées ?

Les yeux de France brillaient d'amusement quand elle tendit la carte de visite à sa belle-sœur.

Paula trouva difficile de fixer les yeux sur l'écriture nette et masculine de la carte d'Arlene.

Souhaits de prompte convalescence, lut-elle enfin.

— Pour une surprise... murmura-t-elle en rendant la carte.

— Je vous ai apporté les affaires de toilette habituelles, dit France. Avez-vous besoin de quelque chose d'autre ?

— Je ne pense pas. J'ai tout ce qu'il me faut. L'équipe médicale tout entière est charmante.

Neil s'approcha du lit de sa sœur.

— Navré d'être obligé de parler de détails pratiques, Paula, mais tu sais bien que nous partons cet après-midi...

Elle eut un rire tremblant.

— J'ai perdu un jour quelque part, dit-elle, mais il vaudrait mieux sonner pour qu'on m'apporte mes vêtements.

Tous les trois se mirent à rire et Mike dit :

— Il n'est pas question que vous bougiez pendant quelques jours.

Les yeux de Paula s'élargirent d'angoisse, et Neil prit le relais :

— J'ai vu le médecin-chef. Il m'a dit qu'il n'y avait aucune chance pour que tu puisses quitter l'hôpital avant quelques jours. Aussi avons-nous décidé, France et moi, que nous partirions seuls, en emportant les plus lourds bagages.

— Toutes ces céramiques que j'ai achetées..., soupira France.

— Quant à Mike, puisque nous devons rendre la villa, il va s'installer dans un hôtel en attendant de pouvoir te ramener.

— Pas d'accord ! Sans compter la dépense, Mike est attendu lundi au journal. Quand j'irai assez bien, je serai tout à fait capable de prendre un taxi et de monter dans l'avion.

— Mais..., commença Mike.

— Inutile de discuter. Ça me fatigue. Affaire terminée.

Les autres échangèrent des regards significatifs.

— Elle a raison, naturellement, dit Neil. D'accord, mon chou. Indique seulement l'heure de ton arrivée, pour qu'on soit à l'aéroport.

Elle sourit, le regard lourd de sommeil. Alors, tous les trois firent leurs adieux sans plus d'histoires. Seul Mike semblait consterné.

— Ne rentrez pas avant que le médecin vous y ait autorisée, lui fit-il promettre.

— D'accord, Mike.

— Je suis tellement désolé, murmura-t-il.

— Il ne faut pas.

Elle dormait avant qu'ils eussent tous quitté la chambre.

Si Paula avait redouté de voir les jours se traîner, durant son séjour à l'hôpital, elle se serait trompée. Elle ne manqua pas de visiteurs, la sachant seule dans l'île au départ des siens.

La première fut Carmela, accompagnée de son vaurien de mari, dans son meilleur costume bien repassé.

Il parla peu et il aurait été difficile qu'il en fût autrement, Carmela ne s'arrêtant même pas pour respirer un peu. Elle se plaignit amèrement de ses nouveaux locataires. Un couple et deux enfants, mal élevés et exigeants.

— Cela ne m'empêchera pas de venir vous voir chaque jour, assura-t-elle.

Et, fatiguée par cette première visite, Paula craignit que ce fût beaucoup... Pourtant, quand elle fut partie, la jeune fille, quoique fatiguée, fut heureuse de cette visite. Les jours suivants, ce furent les enfants qui vinrent la voir. Ils étaient gais et savaient partir quand elle faisait mine de fermer un peu les yeux.

Un jour, à sa grande surprise, Paula vit arriver Evelyn Harding. Elle apportait des livres et des fleurs de la part d'Arlene qui, sans aucun doute, n'osait pas venir elle-même de peur des réactions de Piero Falzon.

— Je suis heureuse, dit Evelyn, que vous n'ayez pas été trop gravement atteinte. Le baron Falzon me l'avait dit, mais on ne peut jamais savoir, avec ces blessures à la tête...

— On dit que le diable protège les siens..., dit Paula, malicieuse.

— Il vaudrait mieux ne pas dire ça ici, dit Evelyn, inquiète.

— Ce n'était qu'une plaisanterie, répondit Paula en riant.

Quand l'amie d'Arlene fut partie, bégayant d'embarras, Paula poussa un soupir exaspéré. Pauvre Arlene, obligée de subir cette présence des journées entières !

Ce fut seulement quand elle eut disparu que Paula se souvint de la réflexion qu'elle avait faite au sujet des nouvelles données par le baron. Comment les avait-ils eues ? Avait-il vraiment le bras si long qu'il fût toujours au courant de tout ?

Après quelques jours de lit, le docteur déclara Paula capable de prendre un peu d'exercice en plein air. A son grand soulagement. Dans la petite chambre, la malheureuse se sentait devenir claustrophobe.

Quand le médecin l'eut quittée, Paula demanda :

— Quand pourrai-je tout à fait sortir d'ici ?

La sœur — Paula avait découvert qu'elle se nommait sœur Catarina — fit entendre un petit claquement de langue amusé.

— Et moi qui croyais que vous vous trouviez bien avec nous !

Elle ferma le cahier de notes de la jeune fille et la regarda en souriant.

— Vous pourriez sortir bientôt si vous n'habitiez pas si loin. Mais vous avez un long voyage en perspective et vous n'êtes pas encore en état de faire cet effort.

Paula comprit qu'il était inutile de discuter. Du reste, l'idée de prendre l'avion, de retourner à Londres, ne lui souriait pas le moins du monde en ce moment. Pourtant, il lui tardait d'être de nouveau parmi les siens.

— C'est très joli de la part du médecin de dire que je peux quitter la chambre, mais ne suis-je pas encore laide à faire peur ?

Sœur Catarina se mit à rire.

— Pourquoi ne pas vous en rendre compte par vous-même ?

Paula fit l'effort de se dresser sur son lit. Malgré les encouragements du médecin, elle avait mal partout. Pourtant, elle joignit son rire à celui de la sœur.

— C'est une tentation à laquelle j'ai résisté depuis que Carmela s'est lamentée sur la perte de ma « beauté »...

Sœur Catarina lui apporta un miroir à main et le tint devant elle, Paula se considéra attentivement. Son visage était encore enflé, la peau bleue ou jaune suivant le choc, mais il n'y avait rien là qu'un peu de temps ne pût arranger.

Elle se détourna du miroir en soupirant.

— Bon ! C'est tout de même assez rassurant, dit-elle, passant ses doigts dans sa tignasse ébouriffée. Mais les cheveux... Quelle histoire !

— Je peux vous faire un shampooing avant que vous quittiez la chambre. Ainsi vous serez présentable pour le voyage.

— Vous êtes un ange ! s'exclama Paula avec reconnaissance.

Puis elle se mit à rire, quand la sœur eut un gloussement moqueur.

— Ce n'était pas une chose à vous dire, n'est-ce pas ? Dans un tel environnement...

L'hôpital avait une cour entourée d'un cloître, ombragée et merveilleuse pour de courtes promenades. Accompagnée la première fois par une novice, Paula put profiter de ce décor charmant, d'abord, pour se reposer sur le banc le plus proche, ensuite pour de plus longues échappées. Son coin de repos préféré était le plus près de la fontaine, dont l'eau jaillissait inlassablement, donnant une très agréable fraîcheur.

Ce fut à ce moment que les livres d'Arlene devinrent précieux. Pourtant, chaque jour lui donnait de nouvelles forces.

Ayant le temps de réfléchir, elle se rendit compte que c'était, en somme, la première fois qu'elle pouvait se reposer.

Enflammée par son ambition de devenir une grande journaliste, elle avait toujours énormément travaillé, non seulement pour avoir des diplômes — qui ne lui avaient pas manqué — mais pour se cultiver sur tous les sujets, le journalisme devant englober tous les domaines, suivant la conception qu'elle en avait.

Et, comme elle aimait aussi les contacts humains, elle avait eu, depuis sa plus tendre adolescence, une vie très remplie.

Maintenant, assise à l'ombre du cloître, en compagnie de quelques convalescents comme elle, elle regardait d'un œil amusé les allées et venues des médecins et des internes en blouse blanche, et les religieuses dans leurs amples jupes.

Comme elle regardait paresseusement sur sa droite, elle se raidit soudain sous le choc. Car, vers elle, s'avançait une haute silhouette imprévue. Le vêtement clair et léger qu'elle l'avait vu porter avait disparu.

Aujourd'hui Piero Falzon n'avait qu'une chemisette à manches courtes et des sandales de la même toile que son pantalon. Il semblait ainsi beaucoup moins hautain mais... tout aussi attrayant...

Quand elle s'en rendit presque douloureusement compte, Paula leva la revue qu'elle lisait pour dissimuler son visage. Ce ne pouvait être elle qu'il venait voir, pensa-t-elle, anxieusement.

Cependant, un peu plus tard quand elle entendit ses pas tout proches, elle baissa le journal et osa croiser son regard.

— Une des infirmières m'a dit que je vous trouverais sûrement ici.

— Vous êtes certainement la dernière personne que je m'attendais à voir paraître.

Le visage de Falzon était dénué d'expression, ce qui était assez gênant. Surtout déconcertant.

— Ce n'est pas tellement surprenant. Comment allez-vous, Paula ?

Elle cilla en l'entendant prononcer son prénom.

— Je vais bien maintenant. Je pourrais bientôt

repartir en Angleterre, si le voyage n'était pas si long.

— Je sais, oui. C'est dommage. C'est assez déprimant d'être momentanément invalide en se trouvant en même temps si loin de chez soi.

Les yeux de Paula ne purent cacher sa surprise.

— Mais, comment savez-vous tout ça ?

— Je...

— Non, ne me dites rien. Vous êtes un homme influent, n'est-ce pas ? Vous pouvez être au courant de tout ?

Il la regarda avec une grande irritation.

— Pardonnez-moi, Paula. L'autre jour, j'ai agi seulement en considération d'Arlene.

Elle soupira, le regard fixé sur un infirme qui traversait péniblement la cour avec des béquilles.

— Je sais. Mike et moi étions plus à blâmer que vous.

Elle leva les yeux sur lui qui la dominait de toute sa hauteur.

— Pourquoi ne vous asseyez-vous pas ?

Un sourire malicieux s'esquissa au coin des lèvres du baron.

— J'attendais que vous m'y invitiez.

Il s'installa sur le banc près d'elle.

— Je serais venu plus tôt si je n'avais pensé que je ne vous ferais pas plaisir... Je craignais que vous n'ayez aucune envie de me voir. Et puis...

Il eut de nouveau un sourire qui montait jusqu'aux yeux.

— Je doutais que vous ayez envie de recevoir des visites avant de reprendre figure humaine... Heureusement, c'est beaucoup mieux, déjà.

— Mais... comment avez-vous su à quoi je ressemblais ?

Il eut un geste d'agacement de la main.

— Excusez-moi, dit-il. Vous l'ignoriez, mais c'était tout à fait compréhensible. Le vieil homme est venu à la maison après l'accident et, quand j'ai eu téléphoné pour avoir d'urgence une ambulance, je suis allé sur les lieux, me rendre compte de votre état, et voir si je pouvais être utile.

Confuse et embarrassée, Paula détourna son regard.

— Je n'avais aucune idée de tout cela.

— Comment auriez-vous pu ? Vous étiez tout à fait inconsciente, alors.

— Je ne vous en suis pas moins reconnaissante.

— Il n'y a vraiment pas de quoi. Je n'ai malheureusement rien pu faire. C'était très démoralisant, je puis maintenant l'avouer.

— J'aurais pensé que vous regardiez cela comme une juste punition, une manifestation de la justice immanente...

Il eut un sourire. inattendu.

— Lorsque j'étudiais le droit, à Londres, mon vieux professeur me disait toujours : « Un jour, vous rencontrerez la justice immanente, Piero... » Je m'en suis toujours souvenu.

Elle ne put s'empêcher de rire mais les mots suivants, inattendus aussi, lui rendirent tout son sérieux.

— J'ai eu une petite conversation avec votre médecin, dit Falzon, et il estime qu'il vous serait bénéfique de passer quelques jours à la villa avant de reprendre le chemin de l'Angleterre.

Pendant un moment Paula fut tellement stupéfaite qu'elle ne put prononcer un mot. Puis, elle dit, avec difficulté :

— Comment... comment pourrais-je, après les circonstances de mon départ ?

— Je me suis excusé, déjà, pour cela.

— Mais, ce n'est pas à vous de vous excuser. Mike et moi avions grand tort.

Il sourit.

— Au fond, ce n'était pas si terrible... Et vous vous êtes déjà excusée...

— Et Arlene ?

— Nous avons évidemment discuté de la chose ensemble. Nous nous sentions tous les deux un peu responsables de ce qui était arrivé.

Paula eut un rire plein d'amertume.

— C'est une combinaison d'imprudence de conduite et de freins défectueux qui a causé cet accident. Quand je partirai d'ici, ce sera pour me rendre à l'aéroport et à la maison.

— Je crois qu'il vous faudra attendre pas mal de temps pour cela, dit-il avec sérieux. Vous êtes encore loin d'être capable de faire un tel voyage. de plus, je sais qu'Arlene adorerait vous avoir un moment auprès d'elle. Venez passer votre convalescence à la villa.

Il poussa un léger soupir avant d'ajouter :

— Je l'ai peut-être trop protégée. Bien du temps a passé depuis l'époque de sa célébrité, depuis le moment où elle ne pouvait faire un mouvement sans créer des remous. Peu de gens la reconnaîtraient aujourd'hui. Non seulement un séjour à la villa vous ferait le plus grand bien, mais ce serait excellent pour Arlene. Pensez-y avant de refuser. Cela dépend absolument et uniquement de vous.

Du coin de l'œil, Paula venait d'apercevoir sœur Catarina qui se dirigeait vers eux. Mais elle décida de regarder franchement Piero en face. Il lui fallut pour cela faire un grand effort de volonté.

— Vous savez bien, dit-elle en le fixant dans les yeux, que j'ai usé d'un faux prétexte pour m'introduire auprès d'Arlene.

Il répondit :

— Mais, bien sûr...

Avec tant de gentillesse qu'elle l'aurait battu.

— Evidemment, ce fil ne pouvait s'être détaché tout seul.

— Et vous n'avez pas peur de me voir revenir ?

— Il rit.

— Je ne puis croire que le plus acharné des journalistes se risque jusqu'à une telle extrémité, une seconde fois...

Il redevint sérieux.

— L'accident, lui, était bien réel, de même que votre besoin de reprendre des forces.

— Mais, vous ne craignez pas que je cherche à me documenter pour un article qui aurait sûrement du succès ?

Il sourit plus doucement.

— Vous m'avez donné votre parole et je vous ai crue. Vous êtes invitée à profiter des facilités de convalescence que vous donnerait notre maison. Rien de plus.

Ils se regardaient encore, les yeux dans les yeux, quand sœur Catarina les rejoignit.

— Bonjour, baron Falzon. Vous vous êtes fait bien rare, ces derniers jours.

Paula enviait son calme. Sa vie était si mesurée, si prévisible, chaque jour... Toutes choses dont Paula se serait moquée, quelques semaines plus tôt ; maintenant, elle se prenait à l'envier.

— Les affaires, ma sœur. Les affaires ! Trop de travail.

— Nous faisons, en quelque sorte, le même métier, dit la sœur. Tous deux, nous devons être prêts à donner notre aide quand elle est nécessaire.

CHAPITRE VII

Paula fixait les pavés de la cour, à ses pieds. Cette invitation la troublait. Elle était tentée et ne savait que décider. Dans son for intérieur, elle n'avait aucune envie de quitter les rivages ensoleillés de cette île de rêve pour retourner à Londres.

Et ce manque d'empressement n'avait rien à voir avec sa faiblesse physique actuelle. Il y avait, certes, encore l'envie de découvrir le mystère des relations entre Arlene et Falzon... Mais, pas du tout du point de vue de la journaliste. Elle le savait et pouvait l'admettre, bien qu'elle eût refusé de l'avouer à qui que ce fût.

Sœur Catarina la regarda gentiment.

— Paula, je crois qu'il vaudrait mieux que vous alliez vous reposer dans votre chambre maintenant. Vous êtes peut-être restée dehors un peu trop longtemps aujourd'hui.

Paula leva les yeux et fit un petit signe d'assentiment. Puis elle permit à la sœur de l'aider à se lever. Piero Falzon semblait tout à coup confus et embarrassé, ce qui lui donnait un air attendrissant de jeunesse, tout à fait imprévu.

— Vous pourriez partir demain, dit-il en s'éloignant du banc.

— D'accord. Merci. Dites à Arlene que je serai très contente de venir auprès d'elle.

Tandis qu'elle s'éloignait vers les bâtiments, Paula pensa qu'elle avait sans doute fait une grosse bêtise, mais il était trop tard pour reculer.

Elle se retourna vers le baron pour un dernier au revoir. Il était resté près du banc et la regardait partir. Après un court instant d'hésitation, Paula leva la main. Et il en fit autant, exactement comme le premier jour, près de la voiture.

Quand elle atteignit, avec la religieuse, la chambre blanchie à la chaux, relativement fraîche, Paula dit :

— Vous avez bavardé avec le baron comme si vous le connaissiez très bien, ma sœur.

— J'ai pu l'apprécier, tout le temps qu'il est resté près de votre lit, après l'accident.

Paula s'arrêta brusquement.

— Que... que voulez-vous dire ? Comment a-t-il pu rester à mon chevet ?

Sœur Catarina parut stupéfaite.

— Vous ne le saviez pas ?

— La seule chose que j'ai apprise c'est qu'il était venu sur place après l'accident.

— Mais, mon enfant, le baron Falzon était avec vous dans l'ambulance et a passé à votre chevet toute la nuit suivante, jusqu'à ce que le médecin lui ait assuré que vous ne souffriez que de contusions.

Paula se sentit rougir.

— Je l'ignorais.

— Pas étonnant. Vous étiez inconsciente la plupart du temps. Venez ! Il faut rentrer maintenant.

Quand elle l'eut aidée à se coucher, la sœur se mit à rire.

— Nous avons toutes pensé que vous aviez bien de la chance. D'abord, le baron, et ensuite monsieur Cavanagh.

— Est-ce que Mike est au courant, pour le baron ?

La sœur rit de nouveau.

— Oh, non ! Cela nous a beaucoup amusées. Quand monsieur Cavanagh fut libre de venir à l'hôpital et resta près de vous, le baron disparut. Vous avez une difficile solution à trouver, mon enfant. Tous deux sont si dévoués...

Paula s'enfonça dans son lit, soudain épuisée. Une telle faiblesse était ridicule, mais elle trouvait difficile de penser clairement.

Elle revoyait ce visage penché sur elle, dans un brouillard. Elle avait cru qu'il faisait partie de son délire. Elle se mit à rire nerveusement quand la sœur l'eut installée pour la nuit.

— Vous faites erreur, ma sœur, dit-elle quand elle fut un peu calmée. Il n'y a rien de ce que vous croyez. Avec aucun des deux... Je vous assure. C'était, de leur part, un sentiment de culpabilité tout à fait déplacé, vraiment !

Sœur Catarina était encore en train de rire quand elle finit d'arranger le lit, mais elle n'avait pas répondu, ce qui était plutôt agaçant.

Quand elle fut seule, Paula repensa au comportement étrange et contradictoire de Piero Falzon, et elle sentit ses joues devenir écarlates au souvenir.

Mais avant de pouvoir analyser cette curieuse situation, plus profondément, elle s'endormit, comme on sombre.

⁂

Paula était dans un étrange état d'esprit, le lendemain, lorsque Piero Falzon vint la chercher à l'hôpital. Mais il la mit très vite à son aise en entretenant une conversation animée où elle n'avait qu'à écouter, même distraitement, sans se fatiguer en commentaires.

Lorsqu'ils approchèrent de la villa, Paula eut un curieux pressentiment, que fit disparaître la vue de deux ouvriers en train de réparer le mur que Mike avait embouti.

Quand elle pénétra dans le hall, suivie par le baron, portant gentiment son bagage, Arlene était en train de descendre le large escalier, Cary, jappant et sautillant autour d'elle.

Elle descendit à la hâte les dernières marches et vint à la rencontre de Paula.

— Oh ! Mais... je vous trouve beaucoup mieux que je ne pouvais m'y attendre, dit-elle avec chaleur. N'est-ce pas qu'elle est bien, Piero ?

— Certes, mais on peut espérer qu'elle sera encore beaucoup mieux quand elle aura passé quelques jours avec nous.

Du coin de l'œil, Paula avait remarqué Evelyn, en train de fourrager sur le palier du premier étage.

Elle était fort soulagée de trouver un accueil aussi sympathique. Arlene lui avait pris les mains et la regardait avec amitié. Elle semblait avoir totalement oublié les incidents précédents.

Un peu haletante, Paula répondit avec joie à ses avances.

— C'est tellement gentil à vous de m'avoir invitée à venir me reposer ici.

Arlene sourit.

— Voyons ! Nous ne pouvions faire moins, sachant que vous étiez seule ici. Qu'est-il arrivé aux autres membres de votre petit groupe, Paula ? Monsieur Canavagh, par exemple ?

— J'ai insisté pour qu'ils rentrent tous comme c'était prévu, répondit la jeune fille gaiement. Ils avaient du travail en arrivant. Trois semaines de vacances, c'est bien suffisant !...

Pendant que Paula répondait ainsi aux questions de son hôtesse, celle-ci s'était rapprochée de Piero Falzon, d'une manière très possessive qui commençait à irriter un peu Paula.

Cary avait décidé que Paula était une amie, aussi tournait-il autour d'elle, jappant et faisant le beau pour se faire caresser, les oreilles dressées, le regard joyeux.

— Je suis réellement navrée de l'incident de l'autre jour, dit Paula. Tout ce que je peux vous assurer, c'est que je n'avais pas l'intention de...

Arlene leva vivement la main restée libre en une véhémente protestation.

— Je ne veux plus entendre parler d'excuses. Absolument plus ! Il faut totalement oublier cet incident. Tout ce qui est important maintenant c'est que vous vous remettiez complètement.

Pour la deuxième fois seulement, depuis qu'ils

étaient dans la villa, Falzon prit la parole. Jusque-là, il s'était contenté de fixer Paula très attentivement et, comme d'habitude, ce regard appuyé l'avait fait rougir.

— Avant qu'elle quitte l'hôpital, dit-il, on a bien recommandé à Paula de ne pas se fatiguer. Elle doit encore prendre beaucoup de repos. Il n'est donc pas question, pour le moment, de la traiter en touriste et de lui faire faire de grandes promenades.

— Rien de tel n'était dans mon esprit, répliqua vivement Arlene.

Et, tout en parlant, elle avait jeté un coup d'œil sur Evelyn, qui rangeait encore on ne savait quoi, près d'eux.

— Evelyn, ma chère, emmenez donc Paula dans sa chambre, voulez-vous ? Veillez à ce qu'elle ne manque de rien.

Puis, elle se tourna vers Paula.

— Vous pouvez vous reposer autant que vous en aurez envie. Personne ne vous dérangera.

— C'est trop gentil, Arlene. J'espère que Miss Harding vous a transmis mes remerciements pour vos livres et les orchidées.

Le visage de l'actrice changea.

— Les... orchidées ?

Evelyn, qui s'était courbée pour prendre la valise de Paula, sembla figée dans son geste, un instant. Alors Piero Falzon expliqua tranquillement.

— Je les avais fait envoyer de votre part, ma chère Arlene.

— Quelle bonne idée ! s'écria aussitôt l'actrice.

Paula était embarrassée et ne savait que dire. Arlene dénoua la situation en disant :

— Vous n'avez qu'à suivre Evelyn. Elle veillera à ce que vous soyez bien installée. A tout à l'heure.

Heureuse de s'échapper, Paula suivit Evelyn sans se retourner. Elle avait, bien sûr, espéré qu'Arlene ne lui en voudrait pas de sa précédente incartade, et était ravie de ne pas s'être trompée à cet égard, mais cependant elle n'était pas sûre de n'avoir pas senti comme un recul dans son attitude. Quelque chose d'un peu artificiel dans ses manières. Un quelque chose d'imperceptible, en réalité.

Quand elle atteignit le palier, elle se retourna. Arlene avait toujours un bras passé dans celui de Piero Falzon et tous deux la regardaient. Mais leur expression était énigmatique.

Les jours suivants, Paula sentit les forces revenir dans son corps bien malmené par le choc de l'accident. Les horaires de la villa étaient fort souples. Elle pouvait se reposer autant qu'elle en avait envie, et à d'autres moments, profiter avec plaisir de la présence d'Arlene.

Elle était arrivée à la conclusion qu'elle s'était trompée dans son interprétation du comportement d'Arlene, le premier jour. Paula se demandait si elle n'était pas devenue un peu trop susceptible, ridiculement sensible. Assez pour percevoir des choses qui n'existaient pas.

Depuis que Paula était à la villa, Arlene avait été la bonté, la gentillesse même. Evelyn, également, était toujours prête à rendre service et à se rendre utile, mais elle était si peu communicative qu'il était difficile de savoir exactement ce qu'elle pensait.

Souvent, Arlene se libérait d'elle pour rester en compagnie de Paula, et la jeune fille se demandait si l'habituelle compagne de l'actrice n'était pas un peu jalouse de se voir mise sur la touche. C'était possible, mais jamais Paula ne pourrait en être certaine.

La jeune fille adorait s'exposer au soleil, en toute occasion. Tandis qu'Arlene s'installait à l'ombre, elle prenait des bains de soleil, qui peu à peu effaçaient les dernières traces de contusions sur son visage.

Ces moments délicieux de détente et de farniente étaient l'essentiel de leurs journées paisibles et décontractées.

— Combien j'envie les jeunes ! déclara un jour Arlene en soupirant, alors qu'elle se reposait à l'ombre des palmiers, et que Cary somnolait auprès d'elle.

» Il y a si longtemps que je ne puis porter des tenues comme celle que vous avez mise aujourd'hui, et que je ne me suis permis le luxe de m'exposer au soleil.

— Bien sûr, répondit Paula, je me rends compte qu'une trop fréquente exposition au soleil n'était pas très recommandée pour votre teint. Mais vous avez la chance d'avoir gardé votre jolie silhouette d'autrefois. Aussi belle que dans les films que j'ai vus de vous.

Arlene se mit à rire :

— Peut-être suis-je un peu moins rondelette. Mais ce n'est plus à la mode, n'est-ce pas ?

Pendant toute cette aimable période, Arlene entraînait Paula en de petites promenades dans le parc, et au bout de quelques jours, la jeune fille commençait à devenir très savante sur la flore maltaise.

Quand elle reviendrait en Angleterre, pensait-elle parfois avec un peu d'amusement, elle serait un véritable expert...

— N'avez-vous jamais songé à quitter ce domaine ? demanda Paula, un jour, pendant une de ces promenades.

Arlene sembla un peu troublée.

— Mais, je le quitte. Je vais très souvent à La Valette et parfois au cinéma avec Evelyn.

— Oh ! je ne parlais pas de ces escapades. Je voulais dire : plus loin, en Angleterre, par exemple ?

Arlene frissonna comme si elle avait subitement froid.

— Pendant que je passais ma vie dans les studios, dit-elle enfin, je dois avoir visité toutes les contrées du monde. Au point que j'avais parfois l'impression d'être devenue un derviche tourneur. Maintenant, je suis très heureuse ici.

— Pourtant, vous devez avoir encore des intérêts en Angleterre, non ?

Paula n'avait pu arrêter cette question qui lui brûlait les lèvres depuis qu'elle était à la villa, et même avant ; quand elle avait rencontré Piero Falzon.

Confirmant les craintes de Paula, Arlene fit un geste insouciant de la main.

— Piero s'occupe de tout cela pour moi. Qui pourrais-je trouver de plus compétent, dites-le moi ?

Paula avait les yeux fixés au sol.

— Avez-vous véritablement abandonné votre carrière parce que c'était trop pesant, trop épuisant ?

Quelque chose comme de la colère passa sur le visage d'Arlene.

— Vous n'abandonnez pas facilement, n'est-ce pas ?

Paula la regarda, saisie.

— Oh ! je n'essayais pas de vous soutirer des informations, Arlene. J'essayais seulement de satisfaire ma propre curiosité.

Arlene sembla se détendre.

— Etes-vous une fille qui sacrifierait tout à sa carrière ?

Paula sourit. Elle ne pouvait s'en empêcher. Arlene avait évité de répondre à sa question, bien qu'elle ne fût pas sûre que ce manque de réponse ne fût pas, en lui-même, une réponse. Arlene avait-elle eu une raison impérative pour renoncer ?

Paula remit ses réflexions à plus tard et répondit :

— Je l'ai cru, jusqu'à présent. Mais, depuis quelque temps, je n'en suis plus aussi sûre.

— Est-ce que cela a quelque chose à voir avec monsieur Cavanagh ?

Surprise et amusée, Paula répliqua en riant de bon cœur :

— Bien sûr que non !

Arlene haussa légèrement les épaules.

— J'avais pensé, en quelque sorte, que vous et lui...

Elle laissa sa phrase en suspens et Paula ne prit pas la peine de répondre.

— Avez-vous déjà été amoureuse ? demanda alors Arlene.

La question donna un choc à Paula, et elle fut pendant quelques secondes incapable de répondre. Puis, elle dit lentement :

— Non. Je ne pense pas. J'ai eu des toquades parfois, mais, à la réflexion, ce n'était pas de l'amour.

La conversation fut brutalement interrompue par l'arrivée d'Evelyn. Ce qui soulagea grandement Paula. Plus tard, repensant à cette conversation, elle se demanda si Arlene n'avait pas ainsi répondu indirectement à la question qu'elle lui avait posée. L'amour...

*
* *

Les jours qui suivirent son installation à la villa, Paula éprouva à la fois un soulagement et un désappointement. Piero Falzon était bien rarement auprès d'elles. Il n'arrivait qu'à l'heure du dîner. Et, encore, pas tous les soirs.

— Il a des clients à voir, expliquait Arlene avec dignité.

Et cette affectation d'ignorance peinait Paula. Des clients ? Peut-être, pensait-elle alors. Mais plus probablement des filles comme cette Sophia Gonzales...

Que l'explication d'Arlene fût exacte ou non, Paula était cependant presque soulagée de cette absence. Quand il était présent, c'était à chaque instant qu'elle sentait son regard appuyé sur son visage, guettant ses diverses expressions. Attendait-il qu'elle dévoilât des sentiments qui lui auraient permis de la juger définitivement ? Et comment ?

Les raisons qu'il avait eues de l'inviter lui restaient obscures. Elle était du reste certaine que l'initiative était venue d'Arlene, mais qu'ils avaient sauvé la face en faisant une invitation conjointe.

Pourtant, à mesure que les jours passaient, Paula était de plus en plus certaine qu'elle avait eu raison d'accepter. Pour sa propre santé. La cure avait été spectaculaire. Elle se souvenait, lorsqu'elle était arrivée ici, qu'elle était aussi faible qu'un chaton. Et, si elle était revenue directement en Angleterre et à son travail, ç'aurait été une véritable catastrophe.

Mais le temps passait et il faudrait bien qu'un de ces jours, elle se décidât à quitter l'île. Il était difficile de retarder plus longtemps sa décision.

Il était entendu qu'elle devait aller prochainement à l'hôpital pour une visite de contrôle. Ensuite, si tout allait bien, comme c'était prévisible, elle devrait bien partir...

De nouveau, elle éprouvait, et de plus en plus fort, cette appréhension à quitter l'île. Une envie de continuer à partager cette vie calme et sereine avec ses occupants lui aurait paru incompréhensible quelques semaines plus tôt. Avait-elle tellement changé ? Et pourquoi ? Le choc n'expliquait pas tout...

Pourtant elle remettait toujours sa décision au lendemain. Quelque chose d'intangible mais profond la tirait en arrière, l'empêchait de prendre la moindre initiative constructive et raisonnable.

Tous les matins, on lui apportait son thé dans la chambre. Aussi n'avait-elle jamais besoin de se lever de bonne heure.

Arlene se levait toujours tard, très tard. Et c'était bien dommage, pensait souvent la jeune fille, car les heures matinales étaient les plus agréables dans le parc.

La chambre de Paula s'ouvrait sur un balcon qui dominait la plus belle partie du parc. Elle laissait toujours la fenêtre ouverte la nuit, et les volets simplement en voûte, car ici, contrairement à Gzira, il n'y avait pas de moustiques, au sifflement obsédant. Simplement le murmure de l'eau de la fontaine. Une vraie musique, et le bavardage des cigales.

Chaque matin Paula était éveillée par le pépiement des oiseaux dans les hibiscus, sous son balcon, accompagné du roucoulement des pigeons, sur le toit. C'était si différent du bruit du trafic de Gzira que Paula ne se lassait pas d'écouter.

Quand elle s'installait ainsi sur le balcon, tous les matins, elle pouvait presque sentir l'odeur de la mer, assez proche pour que les mouettes vînssent tourner autour de la maison.

Quand elle se penchait, elle pouvait apercevoir, un peu plus loin, les énormes pierres qui avaient été autrefois un temple préhistorique. Il y en avait plusieurs à travers l'île et, à de tels moments, Paula pouvait comprendre l'amour d'Arlene pour de tels lieux prestigieux. Et son choix d'y demeurer.

Elle avait tout cela, oui... Et Piero Falzon aussi...

Ce fut un choc pour Paula, un certain matin, de l'apercevoir dans le hall sombre du rez-de-chaussée, en train de parler avec Evelyn. Il était habituellement parti depuis longtemps quand elle descendait.

Elle hésita un moment sur le palier du premier étage, puis, dans un grand effort, se décida à indiquer sa présence. Dès qu'elle eut commencé à descendre les premières marches, ils l'aperçurent et la conversation s'arrêta net.

— Bonjour, dit-elle gaiement, en les englobant dans un même sourire. Mais, naturellement, tous les jours sont bons ici, ajouta-t-elle en accentuant son sourire. Je n'ai pas manqué de m'en apercevoir.

Evelyn murmura une réponse indistincte et, priant qu'on l'excusât, disparut dans les profondeurs de la salle à manger. Quand elle fut partie, Piero reporta toute son attention sur Paula, qui ne s'était jamais sentie aussi intimidée depuis sa plus tendre adolescence.

— Il y a une merveilleuse amélioration dans votre apparence, dit-il gaiement, en la fixant de son regard attentif, si gênant. Surtout quand les marques duraient aussi longtemps...

Elle rit, plutôt sottement.

— Ce séjour chez vous m'a fait le plus grand bien, répondit-elle. J'ai eu vraiment une chance inouïe que vous veuillez bien m'accueillir tous les deux. Toutes les chances, en fait !

Comme il continuait à la regarder sans rien dire, elle s'écarta vivement et désigna les portraits accrochés au mur.

— Ce sont là tous vos ancêtres ? demanda-t-elle.

— Pour la plupart, oui. Certains sont simplement des dons qui leur ont été faits, à une époque ou à une autre.

Paula s'arrêta devant une peinture représentant un homme vêtu comme une centaine d'années plus tôt environ. On ne pouvait s'y tromper. Ces yeux sombres étaient les yeux de Piero. Mais ceux du portrait étaient tristes tandis que le regard qui continuait à la fixer avait des lueurs de gaieté.

— Il n'y a aucun doute, dit-elle en lui rendant bravement son regard : ce gentleman est un Falzon.

— Mon arrière-grand-père. Il avait épousé la fille d'un Grand d'Espagne.

— Mais je ne vois là aucune femme, dit Paula pensivement, en promenant un regard sérieux d'une peinture à l'autre.

Il ne fit aucun geste pour la suivre dans sa promenade, et elle se retourna pour le regarder.

— Est-ce parce que les femmes n'ont pas d'importance, dans ce pays ?

Il s'adossa à une table proche et la regarda. Il semblait très amusé.

— Au contraire. Les Maltaises ont toujours eu une grande importance. Elles étaient des maîtresses de maison accomplies et mettaient au monde des enfants qui continueraient la race. Y a-t-il quelque chose de plus important à vos yeux, Paula ?

Elle savait qu'il la taquinait et elle haussa les épaules avec une exagération volontaire.

— J'ai le sentiment, dit-elle, que rien n'a changé...

— Pourquoi voudriez-vous que disparaisse un si profitable arrangement ?

Comme il continuait à lui sourire un peu moqueusement, elle continua, rapidement :

— Puis-je téléphoner pour avoir un taxi ? J'ai un rendez-vous ce matin à l'hôpital de Rabat, pour un bilan de contrôle.

Il se redressa vivement.

— Pourquoi vous inquiéter d'un taxi ? Avant qu'il arrive, la journée sera pratiquement terminée, et vous aurez manqué votre rendez-vous. Je vais vous emmener à Rabat moi-même. Ce sera beaucoup plus sûr.

Cette offre, pourtant gentille, la terrifia.

— Oh, non ! je vous en prie. Je ne voudrais sûrement pas vous déranger ainsi.

— Cela ne me dérangera pas du tout. J'ai un client à voir là-bas. Je m'y serais rendu de toute façon. Vous n'avez donc pas à avoir de scrupules.

Paula se détendit, surprise, se sentant très sotte pour ce court moment de panique.

Elle regarda autour d'elle.

— Est-ce qu'Arlene est déjà levée ? Je ne l'ai pas encore vue ce matin et j'aurais voulu la saluer avant de partir pour l'hôpital.

Il sembla embarrassé.

— Elle a la migraine. C'est ce qu'Evelyn m'apprenait quand vous nous avez rejoints. Je ne pense pas qu'elle soit visible de toute la journée.

— Oh ! comme je regrette !

— C'est un mal qui la prend de temps à autre. Une séquelle, pensent les médecins, d'un grave accident d'auto qu'elle a eu il y a des années.

— Quel dommage ! On dirait que j'ai eu de la chance...

— A quelle heure désirez-vous partir pour Rabat ?

— Quand cela vous conviendra, répondit-elle, un peu oppressée.

Il fit quelques pas, vers l'extérieur.

— Alors, nous pouvons partir dès maintenant, si vous voulez bien.

Paula hésita un instant et sortit rapidement sur les pas du baron.

CHAPITRE VIII

Quand elle quitta l'hôpital, il l'attendait près de la voiture, dans le square, devant les bâtiments blancs. Il était occupé à suivre les mouvements de plusieurs cars de touristes, les bras croisés, l'air sérieux mais distrait.

Quand Paula l'aperçut, elle pressa le pas, courant presque, et levant la main pour attirer son attention. Mais il ne l'avait pas encore vue. Aussi s'arrêta-t-elle, pour prendre le temps de l'examiner, tant qu'il était hors de garde.

Piero était de profil. Sa lèvre s'incurvait dans un sourire un peu railleur, tandis qu'il regardait le groupe en sueur des visiteurs, assemblés par les guides comme un troupeau bien discipliné, ou des écoliers fort sages.

Son cœur battit brusquement trop fort à sa vue et cette réaction commença par la surprendre. Puis en un éclair, elle pensa :

« Oh ! Seigneur ! Ne me laissez pas tomber amoureuse de lui... »

Ce fut à ce moment qu'il l'aperçut. Il se redressa.

Juste alors, une voiture qui passait les fit se perdre de vue un instant.

Ce court moment suffit à Paula pour reprendre son sang-froid. Elle poussa un long soupir et semblait tout à fait maîtresse d'elle-même quand elle le rejoignit, traversant calmement la route.

— Eh bien... vivrez-vous ? demanda-t-il avec un sourire, quand elle fut près de lui.

Elle le lui confirma d'un mouvement de tête moqueur et dit, encore un peu oppressée :

— J'ai reçu une absolution pleine et entière. Pas de craintes de séquelles. Bref, tout va bien !

Il lui ouvrit la portière et elle monta en voiture.

— J'espère ne pas vous avoir fait attendre trop longtemps ? Moi-même, j'ai été obligée de patienter. Le docteur était occupé par une urgence.

— J'ai terminé mes affaires plus tôt que je ne l'espérais. C'est assez rare. D'habitude, c'est plutôt le contraire. C'est moi qui aurais pu vous faire attendre.

Ce ne fut que lorsqu'ils eurent quitté Rabat qu'elle se rendit compte qu'ils ne se dirigeaient pas vers la villa. Ils roulaient au contraire dans la direction opposée. Paula regarda le conducteur avec étonnement.

— Où allons-nous ? demanda-t-elle.

Il lui jeta un coup d'œil au moment où ils atteignaient la grand-route.

— J'ai quelques affaires à régler à mon bureau, expliqua-t-il, et si cela ne vous ennuie pas trop de m'attendre un moment pendant que je les réglerai, je peux passer la journée entière avec vous, ensuite.

Nous pourrions déjeuner ensemble, et peut-être même dîner quelque part, si vous n'êtes pas trop fatiguée.

Paula avait la bouche sèche.

— Réellement... Il ne faut pas...

— Cela me fera du bien de prendre un peu de repos, Paula. Je suis beaucoup trop occupé. D'autre part la villa serait lugubre pour vous aujourd'hui. Selon toutes probabilités, Arlene ne quittera pas sa chambre et Evelyn n'est vraiment pas une compagnie souhaitable pour vous...

Paula ne put s'empêcher d'éclater de rire.

— Pauvre Evelyn ! Elle n'est une compagnie pour personne, me semble-t-il. Pourquoi Arlene l'a-t-elle choisie comme dame de compagnie ? Je me le suis toujours demandé...

Pendant un moment, Piero Falzon se concentra sur la conduite de la voiture sans répondre. Puis il dit :

— Vous seriez surprise de savoir qu'Evelyn est la personne qui convient pour s'occuper d'Arlene.

Paula fut déconcertée. Elle avait été sûrement indiscrète.

— Je ne voulais pas dire...

— Bien sûr que non. Je sais. Mais, ajouta-t-il avec un petit sourire au coin des lèvres, ce qui est bon pour Arlene ne l'est pas obligatoirement pour vous.

Il lui lança un nouveau regard et elle se sentit brusquement la chair de poule sur ses bras nus.

— Etes-vous d'accord avec mon programme ? Nous disposons ainsi de notre journée ?

Dans un souffle, elle répondit :

— J'adorerais...

C'était un vrai rêve, pensa-t-elle plus tard. Elle passa une heure à « lécher les vitrines » pendant qu'il terminait ce qui le retenait à son cabinet, puis elle rejoignit la terrasse du café où ils avaient convenu de se retrouver.

Paula n'eut que quelques minutes à attendre, jusqu'à ce qu'elle le vît traverser rapidement la place, faisant s'égailler les pigeons apeurés sur son passage.

Elle l'avait reconnu de loin, car il était beaucoup plus grand que la plupart de ses compatriotes, et, à sa vue, son cœur se mit à battre de nouveau la chamade. Ce qui était fort inconvenant. Il appartenait à une autre, se dit-elle.

— Plus de travail aujourd'hui ! déclara-t-il en s'asseyant près d'elle, et faisant signe au garçon qui s'approcha immédiatement pour prendre la commande.

— Je suis sûre que vous aimez votre travail, lui dit-elle.

— Oui, certes, mais j'apprécie aussi, à l'occasion, la compagnie d'une jolie femme.

Paula se sentit terriblement rougir. Ses joues étaient brûlantes. Heureusement, son hôte était trop occupé à commander leurs cafés pour lui prêter attention. Quand il reporta sur elle ses regards, elle avait eu le temps de se contrôler.

— Je pourrais profiter de ma présence à La

Valette pour retenir une place d'avion, lui dit-elle. Maintenant que j'ai obtenu mon exeat je n'ai aucune excuse pour prolonger mon séjour à Malte.

— Avez-vous besoin d'une excuse, vraiment ?

Elle se mit à rire.

— Si je n'en avais pas eu une, je ne serais pas ici...

Il parut troublé un petit instant puis, alors qu'il allait parler, son attention fut détournée par l'arrivée du garçon qui leur apportait les cafés.

Lorsqu'il fut parti, il se tourna de nouveau vers Paula.

— Pourquoi tant de précipitation ? Quelques jours de plus ne feraient guère de différence. Restez ici, Paula, un peu plus longtemps, je vous en prie.

Elle leva timidement les yeux sur lui.

— Aussi longtemps que je ne serai pas un ennui.

Il la fixa alors, de son regard gênant.

— Non. Vous n'êtes pas un ennui.

Puis, brusquement, il se mit à sucrer son café.

— Y a-t-il un endroit particulier que vous aimeriez voir aujourd'hui ?

— Allons où vous voudrez. J'ai mené une vie si tranquille tous ces derniers temps.

Il l'emmena d'abord au Yacht-Club où il se débrouilla pour lui trouver un maillot de bain. Lui-même, membre du club, avait sur place tout ce qui lui était nécessaire.

— Je viens souvent ici dans la journée, expliqua-t-il, pour me détendre ou nager avant de retourner au bureau. J'y reviens alors mieux disposé à travailler. Ces petites haltes sont nécessaires. Il faut se les ménager.

Elle sourit.

— Je me souviendrai de donner la recette à mon patron, répliqua-t-elle d'un ton enjoué.

La piscine du club n'était pas encore animée, comme elle le serait dans l'après-midi, et ils purent tourner ensemble dans l'eau fraîche, un grand moment, avant de prendre une boisson au bar.

Paula se sentait en pleine forme. Elle mangea de très bon cœur l'excellent repas, à une table bien placée que Piero avait réservée. La terrasse du Yacht-Club dominait la mer et la baie de Sliema.

— Avez-vous un yacht ? demanda Paula pendant le repas.

Les cheveux noirs de Falzon étaient en train de sécher au soleil. La brise les soulevait et les emmêlait un peu.

Comme lorsqu'il était venu la voir à l'hôpital, il paraissait beaucoup plus jeune que dans ses tenues assez strictes d'homme de loi.

« Il est bien trop jeune pour Arlene ! » se répétait-elle avec une certaine hargne, tandis qu'elle goûtait le « lampuki » qui constituait le plat principal de leur repas.

Immédiatement, elle se sentit honteuse de ses pensées. Arlene était encore une fort jolie femme. Elle ne devait pas l'oublier. Encore assez jeune pour tourner la tête d'un homme, et même de plusieurs.

— Il est là, dit-il en montrant du doigt un amas de voiliers, dans le port, au-dessous d'eux.

Perdue dans ses pensées, il lui fallut un instant pour se souvenir qu'il s'agissait du yacht et qu'il répondait à la question qu'elle venait de poser.

— Lequel ? demanda-t-elle, en riant de sa distraction.

Les yeux de Falzon étaient sur elle, comme bien souvent. Trop souvent pour le repos de sa conscience, et le calme de son cœur...

— Je vous le montrerai plus tard.

Après le lunch, elle l'attendit au bord de la piscine, tandis qu'il changeait de vêtements. Il avait sur place tout ce qui lui était nécessaire pour monter sur son bateau. Quant à Paula, qui était sortie en sandales et tenue d'été, ce qu'elle portait conviendrait parfaitement à leur promenade.

Le bateau se révéla être un modeste voilier nommé Lucinda.

— Pourquoi Lucinda ? demanda-t-elle tandis qu'il l'aidait à monter à bord.

— Lucinda était une chatte qui avait adopté la maison pour foyer, répondit-il d'un ton de bonne humeur.

— Moi qui croyais que les hommes donnaient à leur bateau le nom de leur premier grand amour...

Piero Falzon fit signe au matelot resté à terre de lâcher l'amarre et regarda ensuite vers Paula.

— Il est trop tard pour en changer, maintenant.

Ils se dirigèrent, à travers diverses embarcations, vers la baie de Saint-Julien. Le soleil brillait sur les hôtels et les immeubles luxueux, tout blancs. Lorsqu'ils furent à la hauteur d'un de ces hôtels du bord de l'eau, Falzon amarra son bateau.

Ils prirent un rafraîchissement au bar de l'hôtel et repartirent, cette fois, en direction du port.

Une brise fraîche tempérait la chaleur du jour et, comme Lucinda virait de bord pour rejoindre La

Valette, Paula sut, sans l'ombre d'un doute, qu'elle n'avait jamais été aussi heureuse de sa vie. Plus que jamais, elle répugnait à l'idée de retourner vers son existence habituelle.

Ils contournèrent les forteresses de La Valette, qui avaient repoussé tant d'envahisseurs et, à chaque instant, il avait quelque chose à lui faire remarquer. Entre autres, les forts Saint-Elme et Saint-Ange, surveillant l'entrée du port. Et les agglomérations qui faisaient face à la capitale, de l'autre côté de la baie.

Lorsqu'ils ramenèrent le Lucinda à son poste d'amarrage, Paula mesura la rapidité avec laquelle cette journée s'était enfuie. Comme un rêve ! Un rêve merveilleux, qu'elle aurait aimé faire durer toujours.

Elle savait aussi que sa vie avait pris un tournant inattendu, et qu'elle ne serait plus jamais la même. Cette pensée l'effraya, mais elle n'en était pas moins déterminée à ne pas gâcher cette magnifique journée. Elle voulait profiter de chacun de ces instants, sans regarder ailleurs ni au-delà.

— Je vais me changer, lui dit Falzon, alors qu'ils longeaient le quai ensemble. Ensuite, je me préoccuperai d'une table pour le dîner. Sauf, naturellement, si vous préférez aller ailleurs, pour passer la soirée.

— Cet endroit est merveilleux ! répondit-elle, vivement. Mais je ne suis pas habillée pour dîner dans un tel lieu. Je n'ai pas envie de vous faire honte...

Il l'examina, de haut en bas, lentement, d'un regard brillant qui la fit rougir une fois de plus. Puis, il dit en souriant :

— Ne vous inquiétez surtout pas ! Les règles sont très souples ici. Certains s'habillent. D'autres, pas.

Il n'avait pas menti. Certains dîneurs étaient en grande tenue de soirée, d'autres semblaient sortir de leur bateau.

Ils eurent droit à la même table qu'au déjeuner, mais, maintenant le ciel était pourpre au couchant, magnifique et émouvant, et les lumières de la ville commençaient à s'allumer une à une. C'était féerique.

Non ! jamais Paula ne pourrait oublier un soir pareil !

— Cela a été une journée bien agréable, dit-elle avec un soupir, en regardant l'horizon.

— Elle n'est pas encore terminée !

Elle se sentait de nouveau terriblement troublée par le regard qui ne la quittait pas. Falzon dit alors comme s'il s'en rendait compte et désirait la mettre à l'aise par une question banale :

— Aimez-vous faire de la voile, Paula ?

— Enormément. Mais ce n'est pas une nouveauté pour moi. Mon frère adore ce sport. Il est très bon marin et j'ai souvent navigué avec lui. Il n'a pas encore son propre bateau mais je sais que cela ne tardera pas. Cela fait partie de ses projets les plus proches.

Falzon fronça le sourcil.

— J'aurais pensé que le climat d'Angleterre enlevait beaucoup de charme à ce sport.

— Oh ! le temps qu'il fait est bien indifférent à Neil, répondit-elle en riant. Quant à moi, j'avoue que je préfère naviguer comme aujourd'hui, sous le soleil, et sentir sur mon visage et dans mes cheveux, non pas un vent furieux, mais une brise douce et agréable.

Avant qu'elle eût achevé sa phrase, Paula se rendit compte qu'il la fixait avec beaucoup d'attention. Sa voix et sa joie s'éteignirent ensemble.

— Que vous arrive-t-il ? demanda le baron, alarmé.

— Oh ! rien... Mais je pense qu'Arlene est à la villa, mal portante, fatiguée et que nous sommes ici... Cela ne me semble pas juste, c'est tout !

— Vous n'avez aucune raison de vous sentir coupable. D'abord, Arlene ne connaîtra rien de cette promenade. Mais, même si elle l'apprenait, je suis sûr qu'elle serait heureuse que vous ne soyez pas restée à vous morfondre aux alentours. Quand elle a ces migraines, c'est très long pour elle de s'en débarrasser.

Malgré ces paroles rassurantes, Paula se sentait coupable, non pas parce qu'elle avait eu une journée merveilleuse avec Piero, mais parce qu'elle était dangereusement attirée par un homme appartenant à quelqu'un d'autre. A quelqu'un qui n'avait eu que gentillesses et bontés pour elle.

Lorsqu'elle s'éveilla, le lendemain, Paula retrouva, tout frais — trop frais — le souvenir de la journée de la veille. Elle se souvenait de chacun des mots qui avaient été prononcés entre eux à chaque instant de ce jour béni.

Ils avaient dansé au Yacht-Club jusqu'à une heure avancée de la nuit, et il était évident qu'aucun des deux n'avait envie que cette soirée finît. Mais enfin, il avait bien fallu partir, hélas !

Ils parlèrent peu durant le trajet du retour. En réalité, les paroles étaient bien inutiles. Paula s'était nichée au creux du siège, proche de son compagnon, tandis que la voiture cahotait dans les nids de poule des mauvais chemins sans éclairage, si l'on exceptait la lune, encore dans son premier quartier. Seuls, en réalité, les phares traçaient leur voie, dans l'obscurité profonde.

Et cette obscurité était en elle-même un agrément, un confort. Elle les isolait du monde extérieur. C'était une impression que Paula ressentait vivement. Et elle était certaine qu'il en était de même pour Piero.

Pour la première fois de sa vie, sans qu'un seul mot eût été prononcé, elle se sentait à l'unisson, miraculeusement, avec un homme presque inconnu.

Elle rejeta les couvertures et alla vers la fenêtre, Il était tard, la matinée était bien avancée et Paula se demandait si Piero Falzon avait parlé à Arlene de leur journée d'hier.

Se rendait-il compte à quel point elle était possessive ? Peut-être pas, il vivait trop près d'elle. Mais Paula était sûre que l'actrice souffrirait si elle apprenait cette échappée, en dépit des assurances contraires de Falzon.

Une nuée de moineaux s'envola du buisson d'hibiscus quand Paula ouvrit ses persiennes. Le soleil était haut dans le ciel, aussi pur, aussi bleu, que celui des autres jours.

La jeune fille n'avait jamais vu un nuage depuis qu'elle était dans l'île.

Rien n'était changé. Tout au moins, en apparence. Mais Paula savait, tandis qu'elle se penchait à son balcon pour regarder, au loin, les ruines du temple, qu'une transformation subtile était intervenue. Et cette transformation, c'était en elle qu'elle s'était produite.

Cette fille ambitieuse, qui avait travaillé sans relâche et de tout son cœur, pour essayer de se hisser au sommet de la profession qu'elle avait choisie comme la plus belle, cette fille-là aurait pu ne jamais exister. Elle ne la reconnaissait plus en elle.

Maintenant, tout ce qu'elle désirait, du plus profond d'elle-même, c'était de vivre chaque jour, chaque minute de sa vie dans l'ombre de Piero Falzon.

Et tandis qu'elle réfléchissait à ce bouleversement intérieur, elle comprit que le changement datait du premier regard qu'elle avait échangé avec cet homme.

C'était sans doute pour cela, pensait-elle tristement, que son instinct l'avait avertie, dès le début, de se tenir à l'écart du Maltais. Avec une peine infinie, elle pensait maintenant qu'elle aurait mieux fait d'en tenir compte...

A cette heure-ci, il devait déjà être depuis longtemps à son bureau de La Valette et, dans quelques jours à peine, elle serait hors de sa vie.

Le chagrin qu'elle éprouvait à cette seule pensée lui donnait la mesure des sentiments qu'elle éprouvait.

Un heurt à sa porte la ramena à la réalité. Elle quitta le balcon et entra dans sa chambre par la porte-fenêtre tandis que la jeune femme de chambre entrait avec le plateau du petit déjeuner.

— Je suis venue plus tôt, dit-elle, et j'avais laissé le thé à votre porte, mais vous dormiez encore, aussi vous ai-je refait un plateau maintenant. Le baron a dit qu'il était possible que vous dormiez plus tard ce matin.

— C'est très gentil à vous de vous inquiéter ainsi, Maria, mais vous avez bien d'autres occupations et je regrette ce surcroît de travail.

— Aucune importance, répondit la jeune soubrette en riant. Je suis habituée aux horaires étranges dans cette maison. Le baron se lève tôt. Miss Hayne, très tard. Et Miss Harding, à n'importe quelle heure. Aussi, vous voyez, je suis habituée ! Prenez votre temps, Miss Sanderson. Je reprendrai le plateau plus tard.

Avant qu'elle eût quitté la chambre, Paula demanda :

— Comment va Miss Hayne ce matin ?

— Elle n'est pas encore très brillante. Elle a eu une grosse crise, cette fois. Certains jours, elle souffre tellement qu'elle pousse de véritables cris. C'est horrible !

— Je pense l'avoir entendue une fois. C'était le jour où nous sommes venus prendre le thé, monsieur Cavanagh et moi. Mais j'ai bien peur que nous en ayons été responsables, cette fois. Nous l'avions troublée.

— Elle se trouble facilement. Ne vous inquiétez pas pour ça. Pour moi, c'est la chaleur. Le climat de Malte est trop torride pour elle. Elle le supporte mal.

Paula était peinée pour Arlene, certes, mais égoïstement, elle se réjouit ou tout au moins, elle se sentit soulagée de ne rien avoir à expliquer au sujet de la veille.

Ce soulagement, du reste, l'inquiétait. Car enfin, il n'y avait rien eu de répréhensible entre eux. Piero avait tout simplement été bon et amical. Les autres sentiments en cause, c'étaient les siens, à elle, Paula. Pas ceux de Falzon.

— A-t-on appelé le médecin ? demanda-t-elle encore, tandis que Maria lui souhaitait une bonne journée.

— Ce n'est pas la peine. Miss Harding a l'habitude. Elle lui donne les médicaments qui ont été prescrits une fois pour toutes. J'ai entendu un jour le docteur dire qu'il était tout à fait impuissant contre ces crises... Miss Harding s'en tire très bien.

Paula cacha la surprise que lui causait cette réflexion. Elle s'étonnait que Miss Harding pût bien se tirer de quoi que ce fût...

Mais, en somme, il fallait bien qu'elle méritât de quelque façon son salaire ! Elle semblait n'être rien d'autre qu'une surveillante professionnelle.

— Je suppose que le baron a déjà quitté la maison ?

— Oh, oui ! Il est parti de bonne heure comme d'habitude, dit la fille gaiement en refermant la porte.

Paula s'installa de nouveau sur son lit et se versa une tasse de café. Comme elle croquait lentement un toast, elle se mit à détester l'idée d'un jour de solitude dans la villa.

Comme une enfant gourmande, elle avait envie de beaucoup plus que ce qui était permis... Davantage de la présence aimée, davantage de ses attentions...

Les jours allaient être terriblement pesants plus tard, quand elle n'aurait plus, pour résister à la monotonie des heures solitaires, que le souvenir doux et amer à la fois, de joie, de bonheur intense qu'avaient été ces moments qu'elle n'oublierait jamais. Le retour dans la villa silencieuse, par exemple, hier soir...

Quand était arrivé le moment de se séparer, sur le palier du premier étage, comme il la regardait profondément, elle eut l'impression qu'il allait se pencher pour l'embrasser. Son cœur faisait des bonds jusqu'à sa gorge, semblait-il.

Mais il lui dit simplement « bonsoir » d'une voix un peu étouffée, la laissant aller seule jusqu'à sa chambre, troublée jusqu'au plus profond d'elle-même.

Elle était restée éveillée longtemps, se demandant ce qu'elle aurait fait, comment elle aurait réagi, s'il avait eu le geste qu'elle... oui ! qu'elle attendait.

Faute de mieux, elle décida de se concentrer, ce matin-là, sur un article à adresser à son journal. Elle décrivit les rues silencieuses de Mdina et la sophistication de la baie de Saint-Julien. Elle parla des nourritures spécifiques de l'île, des lambeaux de terres calcinées par un soleil sans merci, des commodités que les Maltais accordaient aux voyageurs, aux touristes, et, lorsque son papier fut terminé, elle sut qu'il était bon, même si son cœur n'y avait pris aucune part.

Pour elle, Malte ne serait jamais ce qu'elle avait décrit, avec un certain talent.

Malte, à jamais, ce serait cette villa prestigieuse, calme et cachée, l'énigme d'Arlene et, plus que tout, Piero.

CHAPITRE IX

Quand l'heure du lunch fut proche, elle s'aventura au rez-de-chaussée, et trouva Evelyn dans le hall, en train d'arranger des fleurs dans un grand vase. Elle le faisait avec beaucoup de goût. Paula s'arrêta près d'elle pour admirer son travail.

La pauvre Evelyn était aussi peu soignée que d'habitude. Ses cheveux fadasses s'échappaient comme toujours d'un informe chignon, et son visage était luisant de sueur. De nouveau, Paula pensa que le choix de cette femme comme compagne d'Arlene était curieux mais elle ne mettait pas en doute les paroles de Piero Falzon quand il lui avait dit que cette compagnie était celle qui convenait à l'actrice.

Evelyn leva les yeux et sourit, timidement, à Paula quand elle la vit près d'elle. Puis elle revint à ses fleurs avec application.

— Vous composez de bien beaux bouquets, dit Paula gentiment.

— Cela peut être une thérapeutique. La vie ici n'est pas aussi idyllique que les visiteurs se l'imaginent.

— Oui ? Que voulez-vous dire ?

Evelyn sourit de nouveau.

— La chaleur... C'est vraiment trop ! Quelquefois, je donnerais tout au monde pour le brouillard de Londres ou quelques jours de pluie...

— Mais, pourquoi ne repartiriez-vous pas ?

Evelyn sembla effrayée de s'être laissée aller à bavarder.

— Oh, non ! Je ne pourrais pas... Je ne pourrais pas quitter Arlene.

Paula fit une petite grimace.

— Oui, je comprends ce que vous voulez dire. Les vacances ne semblent des vacances que lorsqu'elles ne durent que quelques jours... J'ai entendu dire qu'Arlene n'avait pas été bien, hier.

— La migraine peut devenir une véritable infirmité, dans ses formes les plus sévères.

— Je veux bien le croire.

— Dans le cas d'Arlene, cela précède souvent un orage.

Paula se permit de rire.

— Vous croyez, vraiment ?

Evelyn cessa d'arranger ses fleurs et regarda Paula avec surprise.

— Mais... je vous assure ! C'est presque immanquable.

— Est-ce pour cette raison qu'elle a abandonné sa carrière ?

Le regard d'Evelyn s'abaissa.

— C'était sûrement un handicap quand les prises de vues étaient trop fréquentes.

— Pourquoi en a-t-elle fait un tel secret ?

Evelyn émit un petit rire nerveux et haussa les épaules. Puis, elle regarda Paula de nouveau en face.

— Vous, en tout cas, vous semblez maintenant en bonne forme. Je crois que vous avez eu raison de ne pas reprendre votre travail trop tôt. On croit que ça va marcher, et puis des effets secondaires se manifestent et on a des ennuis.

— Vous pourriez bien avoir raison, admit Paula.

Quand Maria traversa le hall pour se rendre dans la salle à manger dominant le jardin, elle demanda :

— Déjeunerez-vous en bas aujourd'hui ?

Evelyn soupira et fit un signe de tête amusé.

— Ce serait étrange que nous prenions notre repas ensemble si nous étions chez nous, mais je crois que je peux, aujourd'hui, me joindre à vous. Arlene va dormir des heures, encore, et c'est pour elle le meilleur des remèdes.

Le lunch était composé de jambon et de salade, suivis de fruits frais. C'était bien tout ce que Paula pouvait espérer avaler aujourd'hui. Et même trop. Elle ressentait profondément l'absence de Piero. Et même celle d'Arlene. Car il ne fallait pas trop compter sur Evelyn pour entretenir la conversation.

Paula essaya des sujets divers, mais lorsqu'elle demanda :

— Depuis combien d'années êtes-vous auprès d'Arlene ?

Elle fut très contrariée de la réaction qu'elle suscita. La question ne lui avait pas paru indiscrète.

Evelyn, en effet, avait changé de couleur et pris l'air très embarrassé. Alors, pour essayer d'alléger un peu l'atmosphère, Paula s'était mise à rire.

— Je ne pensais pas que c'était un secret d'Etat...

Evelyn avait rougi davantage encore et balbutié :

— Excusez-moi... Vous devez comprendre... Je suis responsable auprès du baron Falzon...

Puis elle lâcha :

— Je suis auprès d'Arlene depuis longtemps, avant même qu'elle vienne ici. Les reporters, les journalistes essayaient toujours de se montrer aimables avec moi, pour me faire parler, glaner des informations sur Arlene... L'expérience m'a rendue prudente.

Paula posa sur son assiette son couteau et sa fourchette.

— Je suis désolée. Je ne suis pas cette sorte de journaliste. Je n'écrirai jamais rien de ce que j'ai vu et entendu ici sans l'autorisation d'Arlene.

— Vis-à-vis de moi, les questions n'ont aucune importance. Mais, pour Arlene et le baron Falzon...

— Ils... Ils semblent très proches l'un de l'autre, hasarda Paula.

Evelyn recula sa chaise et se leva.

— Vous voudrez bien m'excuser. Il faut que j'aille m'occuper d'Arlene maintenant.

Paula poussa un soupir résigné mais, avant de quitter la pièce, Evelyn se retourna et demanda :

— Avez-vous des projets pour cet après-midi ?

La jeune fille haussa les épaules.

— J'irai sans doute jusqu'aux ruines du temple que l'on voit de ma chambre, quand il fera un peu plus frais. Je ne suis pas encore allée dans ce coin-là. J'aimerais voir ces vestiges d'un peu plus près.

— C'est une des promenades favorites d'Arlene. Elle va souvent là-bas toute seule, et y reste des heures.

— Peut-être aime-t-elle la solitude ? Certaines personnes sont ainsi.

Evelyn ne faisait plus mine de partir. Son regard était sans expression quand elle dit :

— Avez-vous été contente de votre journée d'hier ?

Paula hocha la tête, le regard lointain.

— C'était très agréable. Je n'étais jamais allée au Yacht-Club, c'était quelque chose de nouveau pour moi.

Evelyn continua à la fixer un moment. Puis dit :

— Accepteriez-vous que je vous donne un conseil, Miss Sanderson ?

Celle-ci releva brusquement la tête, et attendit.

— Arlene est très attachée au baron Falzon. Elle ne pourrait comprendre...

— Si vous voulez dire qu'il vaut mieux ne pas lui en parler, je me tairai, mais je ne suis pas sûre que le baron n'en parlera pas. Car, voyez-vous, il n'y a vraiment rien à comprendre...

Evelyn sortit très rapidement, laissant Paula tremblante d'une émotion qu'elle était incapable d'identifier. Quand Severino entra dans la salle à manger, un instant plus tard, elle tressaillit violemment.

Il considéra un instant la pêche à peine entamée qui était dans son assiette et demanda :

— Ce fruit n'est pas bon, Miss Sanderson ?

— Si. Excellent ! Mais je n'ai plus faim.

Elle quitta la maison presque immédiatement, par la porte qui s'ouvrait sur le côté du jardin. Une brise assez violente soufflait de la mer, très sensible dès qu'elle ne fut plus à l'abri du mur, mais elle l'apprécia.

C'était bon de sentir le vent sur son visage en feu, écartant ses cheveux de ses joues trop brûlantes.

Le temple était plus éloigné qu'elle ne l'avait pensé, mais cela n'avait pas d'importance. Elle avait tout l'après-midi devant elle.

Du temps à perdre, en somme, car elle venait de se rendre compte qu'elle essayait seulement d'attendre sans trop de peine l'heure à laquelle Falzon rentrerait.

Sur cette partie de l'île, la terre était particulièrement stérile. Aucun arbre n'y poussait, à cause du vent incessant qui la balayait. Au sol, quelques mauvaises herbes poussaient difficilement entre les rochers.

Paula longea le temple aussi loin qu'elle put et resta un moment debout au bord d'une falaise au pied de laquelle la mer venait battre, ourlée d'écume.

Ici, on se sentait très loin de l'agitation de La Valette, de la sophistication de Saint-Julien. Et pourtant, en une demi-heure, on pouvait se trouver dans l'un ou l'autre endroit. Malte était vraiment, songeait-elle, une île de grand contraste, où l'ancien et le moderne se côtoyaient sans cesse.

Paula faisait bien plus qu'apprécier tout cela. Elle se sentait chez elle, ici, maintenant.

Au bout de quelques minutes, elle rebroussa chemin et revint vers le temple qu'elle désirait voir de plus près. Elle avait visité celui de Tarse, plus vaste et en meilleur état, mais ce qui l'attirait dans celui-ci était son isolement et la tranquillité qui y régnait.

Les touristes ne venaient jamais jusque-là. Le coin était à elle, aussi longtemps qu'elle le désirerait.

Les énormes pierres pointant vers le ciel donnaient une impression d'angoisse. Il y avait eu plusieurs salles immenses, à l'origine, et Paula avançait avec prudence sur le sol inégal.

Elle fit lentement le tour du monument, touchant parfois du doigt une sculpture, ou une aspérité naturelle. Elle n'en savait rien.

Peut-être ces traces avaient été faites par des hommes de la préhistoire. On éprouvait ici un sentiment d'éternité qui faisait paraître bien futiles toutes les émotions humaines.

Debout au centre de l'immense ruine, elle essayait de se dire que c'était ainsi qu'elle devait raisonner. Elle espérait pouvoir garder la même sagesse quand elle serait loin, reprise par les soucis quotidiens et n'ayant pour tout réconfort que le souvenir amer et doux de son séjour ici.

Elle craignait de ne pas trouver la moindre consolation dans son travail, car le cœur n'y serait plus. Son expérience auprès d'Arlene lui avait appris qu'elle devrait être beaucoup plus dure si elle voulait réussir dans le métier qu'elle avait choisi.

Et elle savait maintenant qu'elle n'en était pas capable. Elle était trop vulnérable. Qui l'eût cru ? se disait-elle avec dérision.

Elle s'assit un moment, le regard sur l'horizon. Elle n'avait aucune envie de retourner à la villa pour le moment.

Le bon sens lui disait de prendre le premier avion en partance pour l'Angleterre, avant que son cœur fût définitivement meurtri. Tout ce qui était arrivé l'avait été par sa propre faute. Piero n'avait été pour elle qu'affable, courtois et bon.

Un bruit de pas sur les marches lui fit dresser la tête. Les yeux plissés, elle regardait dans le contre-jour, qui pouvait venir jusqu'ici. Elle n'avait pas envie de quitter la pierre, située presque au fond du temple, sur laquelle elle était assise.

Mais brusquement, elle tressaillit. C'était la silhouette de Piero qui se dressait à l'entrée du temple la cherchant des yeux, une main appuyée sur un des piliers.

Elle pensait à lui si fort qu'elle crut une seconde que cette vision était la matérialisation de ses rêves. Mais il bougea, et elle sut qu'il était réel.

— Evelyn m'a dit que je pourrais vous trouver ici.

Quand elle fut remise du choc de cette vision et que son cœur eut repris une allure un peu plus normale, elle lui sourit en se redressant. Mais comme ce sourire était tremblant !

— Jusqu'à maintenant, parvint-elle cependant à dire, d'une voix presque naturelle, je ne m'étais jamais aventurée si loin, mais aujourd'hui je me suis lancée. J'avais très envie de connaître ce temple.

Il regarda vers le ciel.

— Nous allons avoir un orage, dit-il.

Elle le regarda avec surprise.

— Les migraines d'Arlene sont-elles tellement significatives ?

Il sourit.

— Mes informations proviennent de la radio.

Elle se releva vivement et épousseta ses mains et sa robe, disant, à voix trop haute :

— Vous êtes rentré de bonne heure aujourd'hui.

Il pénétra un peu plus à l'intérieur des ruines.

— J'avais l'intention de rentrer encore plus tôt, mais j'ai eu au dernier moment des rendez-vous qui ne pouvaient être remis, hélas !

Elle lui sourit timidement.

— Pourquoi vous faire du souci pour un léger retard ?

La paume de ses mains était humide. Elle les frotta l'une contre l'autre, pendant qu'il continuait à la fixer, longuement et calmement.

— Simplement parce que j'avais très envie d'être près de vous !

Paula se détourna et trébucha légèrement sur un morceau de roche soulevé. La situation était tout à fait différente de celle de la veille. Au club, il y avait des gens tout autour d'eux. Sur le bateau, il y avait des gestes à faire, des choses à regarder.

Ici, ils étaient totalement seuls et le silence du temple servait simplement à rendre plus sensible encore ce tête-à-tête.

— Connaissez-vous l'histoire de cette ruine ? demanda-t-elle, un peu oppressée, regardant tout autour d'elle. De quelle époque date-t-elle ?

— Environ cinq mille ans, je pense.

Elle se mit à rire, trop fort.

— Je ne crois pas que les immeubles modernes dureront aussi longtemps. Qui étaient les hommes qui ont construit cela ? Et où vivaient-ils ?

Elle savait qu'elle parlait inutilement, sottement, pour meubler le silence et qu'il était impossible qu'il ne s'en aperçût pas. Mais il fallait maintenir la conversation dans les banalités, à tout prix.

Il la regardait toujours.

— Ces hommes étaient des adorateurs du soleil. C'est la raison pour laquelle tous leurs temples faisaient face au sud. Ils vivaient dans des grottes tout autour de l'île et ces falaises ont été, par endroits, creusées par eux.

Elle sentit les premières gouttes d'eau sur son bras et regarda Piero.

— Croyez-vous que nous pourrons courir jusqu'à la villa ?

L'averse tombait déjà plus violemment, Falzon hocha la tête négativement.

— Nous serions trempés avant d'avoir fait la moitié du chemin. Mais ces pluies ne durent jamais longtemps.

Il jeta un regard autour de lui et lui tendit la main.

— Ici. Venez vite.

Elle ne s'arrêta pas à réfléchir, elle le suivit et ils coururent à l'intérieur du temple. Elle trébuchait dans sa hâte de pouvoir lâcher cette main qui la brûlait. Mais, au contraire, pour l'aider, il la prit par la taille et l'entraîna vers un angle où deux pierres encore jointes formaient un très précaire refuge. Une de ces pierres était penchée sur un angle dangereux, mais ils étaient là à l'abri de l'averse.

Il poussa Paula dans le coin, et comme le vent chassait la pluie dans l'autre sens, ils purent s'abriter tous les deux.

Paula mit quelques instants à reprendre son souffle, et à repousser ses cheveux mouillés qui lui balayaient le visage.

Ce fut alors qu'elle se rendit compte de la proximité de leurs deux corps. Pourtant, elle ne pouvait lui demander de rester sous l'averse pour la tranquilliser...

Elle murmura d'une voix rêveuse :

— C'est la première fois que je vois tomber de l'eau depuis que je suis à Malte.

— C'est une chance assez exceptionnelle en cette saison. Il ne pleut jamais en septembre et, en tout cas, ces averses ne durent pas longtemps. Mais celle-ci empêchera que nous manquions d'eau avant la saison des pluies.

— Cela arrive donc ?

— Parfois, oui. Je l'ai déjà vu.

Il regarda autour de lui.

— J'avais l'habitude de venir me cacher ici quand j'étais enfant. Il y avait davantage de pierres encore jointes, alors.

Elle le regarda un instant en silence, puis déclara :

— Je suis sûre que cet endroit a dû vous manquer quand vous étiez en Angleterre ?

— C'est vrai. Il m'a beaucoup manqué. Je partais pour longtemps, alors. Je faisais mes études en Angleterre, comme mon père, avant moi. Un collège anglais était de tradition pour tous les garçons de ma famille.

— Votre père était-il également un homme de loi ? demanda Paula.

Elle venait de se rendre compte qu'il ne lui avait jamais parlé de sa famille, jusqu'à présent. Falzon lui était encore aussi inconnu qu'un puzzle qu'on n'a pas encore réussi à assembler. Elle ne savait rien de concret sur lui.

— C'était un homme de loi, oui. Et son plus

cher désir était que je lui succède dans cette carrière.

Il sourit comme à un rappel de temps bien révolu.

— Il fut une époque, expliqua-t-il, où ma famille ne faisait rien. Je veux dire qu'elle se contentait de posséder une bonne partie des terres de cette île..., et la plupart des gens, par la même occasion. La villa avait même son quartier des esclaves.

— Des esclaves ? Quelle sorte d'esclaves pouviez-vous avoir ?

— Principalement des Turcs capturés lors de leurs tentatives de conquêtes. Malte a toujours été d'une importance capitale pour des envahisseurs, d'une race ou d'une autre. Parfois, les ennemis gagnaient, quelquefois, nous restions les vainqueurs.

» Le quartier des esclaves a été démoli quand j'étais enfant. Il était utilisé alors pour loger les domestiques. Mais nous en avions beaucoup moins qu'autrefois. Les temps avaient changé. Mon père fit faire des transformations dans la maison même, pour les loger.

— Est-ce que votre famille était parente ou alliée des Chevaliers de Saint George ?

Falzon fit une petite grimace amusée.

— Les Grands Maîtres faisaient une sélection très sévère parmi leurs membres. Ceux-ci devaient avoir des siècles d'aristocratie derrière eux pour faire partie des leurs. Ils étaient très sourcilleux au sujet d'un possible mélange de sangs, de races.

— Dans ce cas, vos ancêtres devaient avoir toutes les qualités requises ?

— Certainement. Mais, nous autres Maltais, avions eu, durant des siècles — à l'époque arabe — des possibilités de mélange. Et les Chevaliers en eurent grand-peur. Ils firent donc tous leurs efforts pour ne pas en admettre dans leurs rangs.

— Cela paraît du fanatisme à mes yeux.

— C'en était réellement. En dépit de la fable populaire qui laisse croire qu'ils ont été très influents dans l'île, les aristocrates maltais ont toujours été contre eux, car leur œuvre n'était pas à la hauteur de la réputation qu'elle s'était faite.

La pluie tombait à verse autour d'eux, mais à l'abri et au chaud sous cet étroit refuge naturel, Paula ne s'en inquiétait pas. Elle avait même oublié sa gêne et son inquiétude de la présence si proche du baron. Comme la nuit précédente dans la voiture, elle se sentait transportée, comme par magie, dans un monde qui n'était qu'à eux.

— Vous avez dû être bien heureux quand vous êtes revenu, vos études terminées, dit-elle.

— Mon cœur était toujours resté ici. J'étais très jeune durant la dernière guerre et chaque nuit, quand il y avait des raids et des bombardements, j'avais pris l'habitude de grimper sur le toit et je regardais les obus tomber, principalement sur le terrain d'aviation.

— Quand l'île tout entière luttait pour sa survie ? se moqua-t-elle. Vous n'avez pas honte ?

— Les enfants n'ont pas le sens du danger. Je trouvais le spectacle splendide. Le fait que nous ne mangions que deux fois par semaine de la viande de chèvre ne me paraissait pas du tout en rapport avec ces bombardements.

» Je n'avais pas encore entendu parler de Guy Fawkes, quand j'ai été envoyé en classe en Angleterre, mais je suis certain que vous pouvez comprendre que ces raids allemands et italiens étaient pour moi comme des feux de la Saint-Jean.

Paula se mit à rire, et Falzon constata, regardant le ciel :

— La pluie est moins forte.

C'était vrai. Les nuages étaient en train de se morceler, révélant quelques portions de ciel bleu. Piero s'écarta un peu d'elle et elle commença aussi à s'éloigner du mur protecteur.

— Je me demande si les hommes qui ont construit ce temple faisaient des sacrifices humains..., dit-elle songeusement.

— C'est possible, mais les archéologues estiment qu'ils n'utilisaient que des animaux. Savez-vous où vous étiez assise, quand je vous ai découverte, au fond du temple ?

— Non...

— Sur la table des sacrifices !

La figure de Paula prit une expression de dégoût.

— Je vous assure ! On peut encore voir la rigole qui permettait au sang de s'écouler.

— Pouah ! J'aurais bien préféré ne pas le savoir.

Il rit de son désarroi.

— Vous vouliez tout savoir sur ce temple. En outre, je vous croyais une femme très moderne, sachant dominer les peurs et les faiblesses que l'on attribuait autrefois au sexe faible...

L'amusement n'habitait plus le regard de Paula. Elle était devenue grave.

— Je pense que je suis seulement en train de découvrir ce que je suis, réellement.

Le soleil perçait les nuages. Les moineaux avaient repris leur vol, bien que la pluie fût encore en train de ruisseler le long des pierres.

— Oh ! regardez ! Un arc-en-ciel ! s'écria-t-elle, heureuse de la diversion.

Elle le regardait, les yeux brillants.

— Lorsque j'étais enfant, je voulais le faire descendre du ciel, quand j'avais la chance d'en voir un. Je courais de toutes mes forces vers lui, mais, malgré tous mes efforts, je n'arrivais jamais à temps. Il était toujours aussi loin...

Il lui tournait le dos, les regards sur l'arc-en-ciel, au-dessus de la mer. Quand il lui fit face de nouveau, il y avait dans son regard quelque chose qui fit faire à Paula un pas en arrière.

— Ne pensez-vous pas, dit-elle d'une voix un peu tremblante, que nous devrions rentrer maintenant ? On doit se demander à la villa ce que nous sommes devenus.

L'épaulette de sa robe d'été avait glissé. Elle se dépêcha de la remettre en place, mais son compagnon arrêta sa main, d'un geste doux. Il se pencha vers l'épaule nue et l'embrassa tendrement.

Paula recula, sentant sur son dos le froid rugueux de la pierre, et ferma les yeux. Il l'enlaça alors, si fort qu'elle eut l'impression qu'elle ne respirait plus, mais son cœur battait à grands coups désordonnés.

Alors, comme malgré elle, les bras de Paula s'enroulèrent autour du cou de Piero et elle se soumit avec bonheur au baiser inévitable.

Le soleil, très bas, brûlait son dos nu, mais elle en était inconsciente. Dans le monde entier, il y avait seulement cet homme et chaque fibre de son être répondait à ses baisers.

Longtemps après, sa prise se relâcha, et elle se décida à ouvrir les yeux. Le monde était entièrement nouveau. C'était comme si elle naissait à ce moment précis.

— Qu'avons-nous fait ? murmura-t-elle.

Et elle se sentit stupide à la minute où elle prononçait ces mots.

— Je ne peux pas vous laisser partir, murmura-t-il à son tour, d'une voix éteinte.

— Mais Arlene...

Une étrange expression traversa le visage de Piero, mais elle disparut presque immédiatement.

— Il faudra que nous ayons une conversation, dit-il. J'ai tant à vous expliquer.

— Parlez-moi de vous et d'Arlene. Qu'y a-t-il entre vous ?

Il lui posa un doigt sur les lèvres.

— Pas maintenant. Plus tard.

Et il l'embrassa de nouveau.

Plus tard..., songeait-elle. Oui... Plus tard... Elle ne voulait plus penser à rien maintenant. Rien ne devait gâcher ce moment. Plus tard...

CHAPITRE X

Ce fut un rude choc pour Paula de trouver Arlene l'attendant dans sa chambre, quand elle y entra, quelques instants plus tard. Surtout après ce qui s'était passé entre Piero et elle...

Ses lèvres la brûlaient encore des baisers qu'ils venaient d'échanger. Et son corps sentait la chaleur de son bras autour de sa taille.

Ils étaient rentrés enlacés, s'arrêtant de temps à autre pour un nouveau baiser. Elle tenait encore la branche d'hibiscus qu'il avait plaisamment cueillie près de la porte, pour la lui offrir.

Arlene était assise sur le lit, fumant une cigarette, à bouffées nerveuses et courtes. Paula posa précipitamment la branche sur la coiffeuse. Il lui semblait s'éveiller d'un rêve merveilleux qui se terminait en cauchemar. Ou plutôt se terminait dans une pénible réalité.

On ne pouvait sous-estimer Arlene. C'était une part importante de la vie de Piero.

— Arlene, dit-elle après un moment d'effarement, que faites-vous ici ?

L'actrice portait une robe de chambre rose sur

une chemise de nuit assortie et, par comparaison, son visage était fort pâle. Il y avait des cernes noirâtres sous ses yeux. Et la cendre de sa cigarette avait taché son déshabillé sans qu'elle s'en fût rendu compte.

— Je voulais vous parler, dit-elle. A vous seule et tranquillement. Y avait-il meilleur endroit ?

Sa voix était si rauque que Paula en fut effrayée. Il y avait de quoi, songea-t-elle, brusquement. Arlene, si elle les avait vus rentrer, enlacés et échangeant des baisers passionnés, n'avait plus grand-chose à perdre. Qu'allait-elle faire ?

— Ne seriez-vous pas mieux au lit, Arlene ? demanda-t-elle d'une voix qu'elle s'efforçait de rendre calme.

— Non. Je vais beaucoup mieux.

Elle passa une main sur son visage fatigué.

— Ma migraine a presque disparu.

Elle se décida à regarder Paula, et l'expression que put y lire la jeune fille était presque celle du plus profond désespoir.

Instinctivement celle-ci jeta un regard vers la porte. Quelqu'un ne viendrait-il pas à son secours ?

— Il faut absolument que je vous parle, répéta Arlene d'une voix brisée.

Paula traversa la pièce.

— Bien sûr, dit-elle. Mais pourriez-vous m'attendre un instant ? J'ai été mouillée au cours de ma promenade. J'aimerais changer de vêtements.

Elle se précipita dans la salle de bains et retira sa robe humide. Se glisser dans une robe de chambre, après s'être frottée vigoureusement, ne lui prit pas longtemps, mais ces quelques minutes suffirent à lui rendre son sang-froid.

Elle rentra lentement dans la chambre.

— Voilà. Dites-moi maintenant ce qui vous paraît assez important pour ne pas attendre que vous soyez tout à fait remise, demanda-t-elle, en se forçant à prendre un ton léger.

Du coin de l'œil, Paula venait de remarquer qu'une flaque d'eau s'étalait devant la porte-fenêtre du balcon. Si Arlene les avait vus rentrer, elle ne pouvait avoir aucun doute.

Son cœur se mit à battre douloureusement. Ils avaient totalement oublié le monde extérieur durant ce retour, oublié qu'on pouvait les apercevoir de la maison...

Elle s'attendait à tout, sauf à la phrase qu'Arlene prononça :

— Paula, je voudrais que vous m'aidiez à retourner en Angleterre.

Les yeux de Paula étaient élargis par la surprise.

— Qu'avez-vous dit ?

— Vous pouvez m'aider à retourner en Angleterre, répéta Arlene, en allumant une nouvelle cigarette. Il y a des gens à Londres qui pourraient me permettre un nouveau départ.

Paula s'assit près d'elle, au bord du lit, la tête tourbillonnante. C'était bien la dernière chose à laquelle elle s'attendait.

— J'ai besoin d'aide, répéta l'actrice.

Elle se leva et se prit la tête à deux mains.

— Ces maux de tête deviennent insupportables, réellement. Ils n'ont jamais été aussi violents en

Angleterre. Comprenez-vous, Paula ? C'est pour cette raison que j'ai insisté pour que vous veniez passer ici votre convalescence. J'avais besoin d'une aide extérieure. C'est parfaitement inutile d'avoir recours à Evelyn. Elle est sous la botte de Piero et ne fera rien sans l'en avertir. Il a une façon de se faire écouter des femmes ! Vous devez bien l'avoir remarqué...

Paula sentait sa raison chanceler. Elle se souvenait de la première impression qu'elle avait eue de la vie d'Arlene, de la place qu'y tenait le baron, mais, cela, c'était avant qu'elle les connût mieux. Maintenant, elle ne comprenait plus. Elle regardait Arlene, les yeux écarquillés, incapable de trouver les mots qu'il fallait lui répondre.

— Je sais qu'il doit vous être difficile de comprendre la situation, dit celle-ci enfin. Mais, je vous en prie, aidez-moi. Vous êtes ma seule, ma dernière chance, Paula. Mes maux de tête me torturent. Et j'ai peur. Oui, j'ai peur.

Il y eut un heurt à la porte et Arlene se raidit, son visage convulsé par la peur. La tête d'Evelyn se montra dans l'entrebâillement.

— Avez-vous vu Arlene quelque part ? demanda-t-elle. Oh ! vous êtes ici...

Elle poussa davantage la porte.

— Vous devriez être dans votre lit, au lieu de vous promener partout dans la maison.

Elle regarda de nouveau Paula, encore assise sur son lit, et soupira :

— Arlene ne se rend pas du tout compte de ce qui lui convient, dit-elle d'une voix désolée.

Allons, venez maintenant. Donnez-moi le bras. Vous n'en pouvez plus.

Comme Evelyn passait son bras sous celui d'Arlene, celle-ci se laissa emmener sans opposer la moindre résistance. Mais, au moment de franchir la porte, elle adressa à Paula un dernier regard implorant.

Quand elles furent parties, Paula se sentit épuisée.

Elle ne pouvait arriver à croire ce que la pauvre Arlene avait paru sous-entendre : Piero et Evelyn étaient en train d'essayer de la faire disparaître... C'était invraisemblable...

Et pourtant, Paula se souvenait très douloureusement qu'elle-même avait suspecté quelque chose de semblable, au commencement. Est-ce qu'un homme de loi pouvait vivre sur le pied de Piero Falzon ?... se demandait-elle avec angoisse.

Une villa comme celle-ci, des domestiques en grand nombre, un bateau et une appartenance au club le plus sélect, sûrement le plus onéreux de Malte... Il y avait encore tellement de choses qu'elle ignorait sur lui...

Elle se mit debout.

— Je ne pourrai jamais croire une chose pareille, dit-elle fermement, à voix haute.

Ils allaient rapidement discuter des relations qu'il avait avec Arlene et ainsi, les choses seraient tout à fait claires. Il le lui avait promis. Ses rapports avec elle pouvaient être tout à fait innocents, se disait-elle, tandis qu'elle laissait l'eau de la douche calmer à la fois son corps et son esprit, et comme elle essayait de se débarrasser de pensées très mal venues. Elles persistaient cependant, malgré elle. C'était horrible !

Arlene est une malade, se répétait-elle en enfilant une robe fraîche. Elle ne savait pas ce qu'elle disait, tout à l'heure. Mais, bien que l'actrice parût en mauvais état de santé, son langage ne semblait pas du tout incohérent.

Paula, dans sa robe d'été, partit tout au long du couloir, vers la chambre d'Arlene. Elle ne pouvait attendre plus longtemps pour lui poser quelques questions. Il fallait qu'elle sût la vérité si déplaisante, qu'elle pût lui sembler.

Il y avait trop de choses primordiales en jeu. Sa vie, son avenir, son amour...

Paula était déjà entrée dans la chambre d'Arlene au commencement de son séjour à la villa. C'était une pièce richement décorée, au sol recouvert de moquette rouge, le seul tapis de ce genre dans la maison qui possédait des carrelages fort beaux.

Paula avait trouvé merveilleux de marcher pieds nus sur les mosaïques fraîches, mais Arlene semblait tenir aux décors de son passé.

Peut-être aussi, pensait maintenant Paula, la moquette assourdissait-elle les bruits, quand elle avait ces effroyables migraines. Peut-être aussi trouvait-elle que la décoration de cette chambre convenait à son genre de beauté ?

Paula devait admettre que l'actrice était encore une fort jolie femme. Et désirable. Une formidable rivale...

Mais elle ne désirait aucune rivalité. Jamais elle ne construirait son bonheur sur les débris de celui d'une autre. C'était ce qu'elle se répétait en longeant lentement le couloir.

Arlene occupait une suite de pièces, une sorte d'appartement dans la villa. La dernière fois que Paula s'y était rendue, elle y avait cherché des signes indiquant que Piero vivait dans cette partie de la propriété, auprès d'elle, mais la pièce était, sans conteste, une chambre de femme, dans tous ses détails. Néanmoins, Paula avait pensé qu'il ne devait pas se trouver très loin.

Pour une raison qu'elle n'arrivait pas à définir, Paula marchait furtivement le long de la galerie. Elle était certaine que, si Evelyn était encore avec Arlene, elle ne l'autoriserait pas à entrer. Mais, bien avant d'arriver à la hauteur de la chambre, elle put entendre la voix d'Arlene, vibrante de colère.

— Allez-vous en tous les deux ! criait-elle d'une voix perçante. Vous me rendez malade. Tout ce que je demande est un peu de paix.

La porte de la pièce n'était pas complètement fermée et, après un petit moment d'hésitation, Paula la poussa prudemment un peu plus, de façon à pouvoir jeter un regard à l'intérieur.

Arlene était assise dans son lit et semblait seule.

Paula allait se retirer sur la pointe des pieds, mais juste à ce moment-là, le regard de l'actrice tomba directement sur l'entrebâillement de la porte.

Paula crut avoir été découverte, mais elle se trompait. Arlene continuait à parler à haute voix sans se soucier d'une présence.

— Ne pensez pas que j'ignore ce que vous êtes tous les deux en train de comploter. Je sais parfaitement que vous avez l'intention de me tuer.

Paula s'immobilisa, la respiration coupée et, un peu plus tard, elle vit Evelyn s'approcher du lit.

Elle recula dans l'ombre immédiatement. Evelyn riait.

— Arlene, ne soyez pas sotte, dit-elle, d'une voix beaucoup plus ferme que celle que Paula lui connaissait.

» Vous savez sûrement que tout ce que nous faisons est pour votre bien.

Arlene fit entendre un rire hystérique.

— Vous êtes toujours en train de me seriner le même refrain. Vous pourrez le mettre en épitaphe sur ma tombe ! Ce sera très indiqué. Mais vous ne me ferez pas avaler une goutte de ce remède infernal.

Elle commença à se débattre dans les bras d'Evelyn qui tournait le dos à Paula. La jeune fille était terriblement peinée de sentir la détresse d'Arlene ; mais elle ne pouvait plus nier l'évidence.

Evelyn, qui était supposée être pour Arlene une compagne attentive et dévouée, se montrait en ce moment sous un jour complètement différent !

Paula eut envie d'aller au secours de la pauvre Arlene et elle allait se décider à le faire quand elle recula de nouveau, car Evelyn venait de regarder dans un angle de la pièce que Paula ne pouvait voir, en disant :

— Piero, pourriez-vous venir m'aider ?

— Je commence tout juste à comprendre ce qui se passe ici, déclara Arlene sur un ton amer.

Et à cet instant, Falzon apparut aux yeux de Paula.

Il semblait sévère.

— Vous n'êtes pas devant les caméras, Arlene. Vous êtes avec des gens qui vous connaissent, et vous serez obligée de prendre ce médicament, que vous le vouliez ou non. Vous savez ce que cela signifierait pour vous, si vous ne le preniez pas.

L'horreur paralysait la gorge de Paula. Pas un son n'aurait pu en jaillir, sa vie en eût-elle dépendu.

Elle voyait un Piero très différent de celui qu'elle connaissait. Il l'avait aveuglée par son charme, lui faisant oublier qu'elle l'avait détesté et s'en était méfiée dès le premier instant.

Maintenant, il était évident que cette première impression était la bonne. Elle n'aurait jamais dû s'en laisser détourner. Elle avait été folle, mais maintenant la vérité était devant ses yeux bien ouverts. Dieu merci, il n'était pas trop tard...

Falzon obligea Arlene à se redresser sur ses oreillers, et la maintint, pendant qu'Evelyn se penchait de nouveau sur elle.

— Si j'avais su que vous me traiteriez un jour ainsi, je ne vous aurais jamais épousé, criait Arlene d'une voix brisée.

Mariés... Ils étaient mariés !

Les mots tournaient dans la tête en feu de Paula. Elle crut devenir folle. Non ! C'était impossible, invraisemblable. Ce n'était pas vrai. Piero et Arlene ne pouvaient être mariés.

« Mais... Pourquoi pas ? » demandait une voix intérieure.

Un homme de la classe du baron Falzon ne pouvait vivre dans Malte sans avoir épousé la femme qui partageait son toit.

C'était une réalité qui paraissait brusquement

aveuglante pour Paula. De plus, en épousant Arlene, Piero mettait en toute légalité les biens de l'actrice sous « sa protection ». Il pouvait en disposer comme il l'entendait.

L'idée n'en était jamais venue à la jeune fille, tout simplement parce que celle qui était en réalité la baronne Falzon avait tenu à garder son nom de vedette. Un souvenir de la gloire d'autrefois.

Paula se cacha le visage dans ses deux mains. Elle avait envie de courir, de s'en aller au bout du monde, mais la curiosité domina cette impulsion pourtant très forte. Malgré l'angoisse qu'elle éprouvait, elle demeura. Et regarda.

Elle vit ce qui se trouvait dans la main d'Evelyn. Une seringue hypodermique. Elle dut s'appuyer au mur, prête à se trouver mal. Traitait-on la migraine par des piqûres ? se demandait-elle, éperdue d'horreur.

Arlene cria puis ce fut le silence. Evelyn dit alors, à mi-voix :

— Elle va dormir quelques heures maintenant. Elle va vraiment plus mal, Piero.

— Je sais, répondit-il d'une voix sans expression.

— Je me demande pourquoi elle a été si difficile cette fois, reprit Evelyn. Elle n'avait jamais encore opposé une telle résistance.

Falzon fit entendre un rire rauque, caverneux, qui fit frissonner Paula.

— Elle commence à se douter...

— Se douter de quoi ?

— Douter de moi, si vous préférez.

Paula l'entendit traverser la pièce et se redressa

vivement, courant sans bruit sur les dalles, retournant vers sa chambre.

Elle n'aurait voulu pour rien au monde être découverte devant cette porte, après ce qu'elle avait vu et entendu.

Accuser Evelyn et Piero de vouloir tuer Arlene était fort tentant. Mais cela ne résoudrait rien. Pour la première fois depuis qu'elle était à Malte, elle souhaita que Mike fût présent pour pouvoir lui demander un conseil.

Quand elle fut en sûreté dans le sanctuaire de sa chambre, elle ferma la porte au verrou, et s'enfonça dans un fauteuil, la tête dans ses mains.

Il lui était difficile et douloureux de se souvenir de la douceur des regards de cet homme, ce même après-midi et de la passion de ses baisers. Elle s'était donnée de toute son âme dans ces baisers. Elle savait maintenant que, pour lui, ils ne signifiaient rien. Le charme, la gentillesse, la considération n'étaient chez lui qu'un masque.

Elle sentit les larmes jaillir, sans qu'elle pût les contrôler. Elle pleurait non seulement sur elle, mais sur la pauvre, la merveilleuse Arlene, qui aimait cet homme à la folie et souffrait par lui intolérablement.

Jamais Paula n'aurait cru qu'il y avait une telle réserve de larmes et de désespoir en elle. Lorsque, enfin, plus tard, les yeux secs, elle continua, enfoncée dans son fauteuil, prostrée, à regarder sans le voir le paysage de rêve qu'elle avait sous les yeux. elle sut que les larmes n'épuisaient pas le chagrin.

Pourtant, graduellement, elle se sentit plus calme C'était l'heure où les cigales commençaient à se faire entendre.

Quand Maria vint frapper à sa porte pour l'avertir que c'était l'heure de dîner et que le baron et Miss Harding l'attendaient, elle réalisa qu'elle était ainsi prostrée depuis des heures. Elle se moucha et alla déverrouiller la porte de la chambre.

— Faites-leur mes excuses, Maria, s'il vous plaît. Je ne me sens pas très bien. La migraine... J'ai dû m'exposer trop longtemps au soleil aujourd'hui. Je vais prendre un peu d'aspirine et me mettre au lit.

Maria semblait désolée et, seulement alors, Paula réfléchit qu'après avoir tant pleuré, elle devait avoir un visage bouleversé, qui plaidait en faveur de son excuse.

— Voulez-vous que je vous porte un plateau ici ? demanda Maria.

Paula eut du mal à réprimer une grimace de dégoût. Rien ne la tentait moins que la nourriture. Mais il lui fallut quelque temps pour en convaincre Maria. Tout ce qu'elle désirait était de se pelotonner dans son lit, cachée à la vue de tous. Que Piero s'interrogeât sur sa façon de se comporter n'avait aucune importance ! Elle n'aurait pu se trouver en face de lui et d'Arlene, et laisser croire que tout allait bien.

Elle frissonnait en refermant sa porte au verrou. Quand elle se fut préparée pour une nuit qui aurait dû être une nuit de rêve merveilleux, elle décida de prendre toutes ses dispositions pour s'envoler à bord du premier avion possible. Et elle emmènerait Arlene avec elle.

***

Quand elle s'éveilla le lendemain, elle mit un

moment à comprendre pourquoi elle se sentait si malheureuse. Mais, brusquement elle se souvint — trop bien, trop clairement — de ce qui s'était passé la veille.

L'horreur de ce dont elle avait été le témoin la fit frissonner.

Bien que le sommeil eût été long à venir, et qu'elle se sentît fort lasse, elle se leva immédiatement et s'habilla. En s'approchant de sa coiffeuse, elle vit la branche d'hibiscus qu'elle y avait jetée la veille.

Avec chagrin, elle la contempla, la prit dans sa main et la caressa. Mais les fleurs, d'un rouge vif hier soir, étaient désormais flétries, froissées, comme mortes.

Un symbole, pensa-t-elle tristement en jetant la branche dans la corbeille à papiers.

Elle espérait que Piero serait absent de la maison assez longtemps pour lui permettre de faire ses préparatifs, et de quitter la villa. En fille pratique, elle espérait aussi que le passeport de la pauvre Arlene serait valide. Sinon, tout son projet tombait à l'eau.

A cette idée, Paula se sentit trembler, comme elle avait tremblé, la veille, quand Falzon était venu frapper doucement à sa porte. Sans réponse, il l'avait appelée à voix presque basse puis un peu plus fort, deux ou trois fois. Puis, elle l'avait entendu partir à pas feutrés.

Après cela, elle avait mis très longtemps à s'endormir.

Elle ressentait de l'horreur à l'idée de le rencontrer maintenant, car elle n'était pas tout à fait certaine qu'il aurait quitté la maison ce matin. Mais, en tout cas, il n'était pas à la salle à manger quand elle s'y risqua. En revanche, Evelyn était présente, lisant une lettre. Et au grand étonnement de Paula, Arlene était assise aussi devant une tasse de café, en train de beurrer tranquillement un toast.

Le soleil, qui brillait avec éclat sur la table sombre et vernie, lui fit croire un instant que son imagination lui jouait des tours. Mais c'était bien Arlene qui prenait son petit déjeuner, comme si rien ne s'était passé.

Cependant, quand l'actrice leva les yeux sur Paula, un curieux regard s'y lisait. Un regard traqué, craintif, comme celui d'un animal pris au piège.

— Bonjour, ma chère, dit-elle cependant après un petit instant de silence. Je regrette de vous avoir négligée depuis deux jours, mais quand ces migraines me prennent... Je vais me rattraper maintenant.

Paula s'approcha d'elle. Arlene était vêtue d'une jupe légère et d'une blouse sans manches, et semblait dans son état normal si l'on exceptait les cernes sombres sous ses yeux.

Evelyn replia la lettre qu'elle était en train de lire et demanda qu'on voulût bien l'excuser. Elle avait un coup de téléphone à donner.

Quand elle fut partie, Arlene expliqua à Paula :

— La pauvre Evelyn a une mère très âgée en Angleterre. Elle se fait du souci pour elle et lui téléphone souvent. Malheureusement une voix au téléphone ne remplace pas une présence.

Paula refusa la tasse de café que lui offrait Arlene et se pencha vers elle, tandis que l'actrice allumait l'inévitable cigarette.

— Hier, Arlene, quand vous êtes venue dans ma chambre...

Celle-ci évita le regard de Paula.

— Je n'aurais pas dû vous ennuyer avec mes histoires. Je vous demande de les oublier.

— Je ne peux pas. Ecoutez-moi, Arlene. Je vais partir. Je retourne en Angleterre et vous viendrez avec moi.

Le visage tendu d'Arlene s'adoucit dans un sourire.

— C'est très gentil de votre part, mais je ne partirai pas.

» C'est impossible.

— Mais, hier soir...

Arlene posa un doigt sur ses lèvres et dit dans un soupir :

— Ne dites rien de plus pour le moment. Attendez.

Elle recula sa chaise et se leva, ajoutant d'une voix normale :

— Je vais chercher un petit vêtement dans ma chambre. Nous nous retrouverons dans dix minutes à la porte de côté. Voulez-vous ?

Paula la regarda partir, roulant dans son esprit des pensées contradictoires. Puis, quelques minutes plus tard, elle se leva et quitta la pièce à son tour...

Arlene l'attendait, assez impatiemment, semblait-il, un léger cardigan jeté sur les épaules, et l'inévitable cigarette entre les doigts.

— Qu'est-ce que vous avez fait de Cary ? demanda Paula, surprise.

Le chien ne quittait guère sa maîtresse.

— Il dormait. Je l'ai laissé dans ma chambre.

CHAPITRE XI

Quand elles eurent quitté la propriété, Arlene commença à marcher en direction du temple, et Paula la suivit d'un pas machinal.

Pendant quelques instants, le silence régna entre elles. Puis Paula, incapable de le supporter plus longtemps, éclata.

— Arlene, que se passe-t-il donc ?

— Rien. Rien qui doive vous troubler. Il faut oublier tout ce que j'ai pu vous dire hier soir, insista-t-elle, en tirant une longue bouffée de sa cigarette.

La fumée s'éleva en spirale dans la brise.

— Comment pourrais-je oublier ? Hier soir, vous m'avez suppliée de vous emmener. Vous avez même insinué...

— Ma tête me faisait souffrir. Je ne savais pas ce que je disais.

— Je ne puis le croire. Je suis venue dans votre chambre plus tard, et Evelyn était en train de vous faire une piqûre contre laquelle vous protestiez... J'ai entendu...

Arlene jeta sa cigarette et l'écrasa sous la semelle de sa sandale.

— Vous *devez* oublier tout cela.

— C'est impossible et vous le savez bien. Pourquoi ne m'avez-vous pas dit que vous étiez mariée à Piero ? Pourquoi cela devait-il rester tellement secret ?

Arlene marchait légèrement en avant de Paula. Soudain, elle s'arrêta, retira un anneau de son doigt et le lui tendit.

Avec répugnance, celle-ci le prit. A l'intérieur de l'alliance en or, on pouvait lire les lettres A.F. et P.F., entrelacées.

Comme Paula le lui rendait sans rien dire, l'actrice reprit sa marche.

— Il pensait qu'il valait mieux garder le secret, expliqua-t-elle tranquillement. Il déteste toute forme de publicité. Mais je pense que cela a quelque chose à voir avec l'honneur de la famille. Ici, on est très à cheval sur ce qu'ils considèrent comme des mésalliances. J'ai abandonné ma carrière pour lui, parce qu'il le désirait. Il ne pouvait supporter de me voir adulée partout, et par tous. J'ai fait ce sacrifice parce que je l'aimais. Je l'aime encore. C'est pourquoi je ne puis partir.

— Mais je suis ici pour vous aider, Arlene.

Celle-ci sourit gentiment.

— Ne vous inquiétez pas à mon sujet. Je n'en vaux pas la peine. Je ne le quitterai jamais, si vilainement qu'il me traite et aussi fort qu'il me trompe.

Elle eut un rire de dérision en voyant la surprise de Paula.

— Il se croit très malin, en parlant des clients qu'il doit voir le soir parce qu'il n'en a pas le temps dans la journée. Je ne m'y suis jamais laissée prendre. Il joue cette comédie parce qu'il est trop fier pour avouer qu'il est un mari infidèle. J'ai appris à vivre avec lui. Je pense, et pas mal de gens pensent que je n'ai que ce que j'ai mérité. Il était très jeune quand nous nous sommes mariés, et j'aurais dû savoir ce que je faisais. Mais il m'offrait quelque chose de si différent de tout ce que j'avais connu...

Les yeux de Paula s'étaient emplis de larmes.

— Oh ! Arlene, je suis désolée...

— Ne perdez pas de temps en regrets sur mon compte. J'ai eu la vie la plus merveilleuse ! Il fut un temps où la moitié des hommes du monde entier étaient amoureux de moi.

Elles avaient atteint le temple. Paula pouvait à peine supporter de le revoir. Si ces vieilles pierres pouvaient encore effacer les images, le souvenir des tendres baisers...

Elle avait envie de s'abriter encore dans le recoin où ils avaient trouvé refuge et y pleurer toutes les larmes de son corps, de son cœur...

Arlene était déjà à l'intérieur. Elle la suivit, après un court instant d'hésitation.

— Ce n'est pas aussi simple que vous me le dites maintenant, Arlene. Hier soir, vous craigniez pour votre vie.

— Ils utilisent pour mes migraines des drogues que j'ignore. J'ai supposé depuis longtemps qu'elles me seraient un jour fatales. Maintenant, j'en suis sûre.

— Et malgré cela, vous l'aimez encore et voulez rester ici ?

Arlene se retourna pour regarder Paula.

— Quand vous nous aurez quittés, je leur apprendrai que vous êtes au courant de leurs tentatives. Quand ils sauront qu'une journaliste connaît les faits et pourra les dénoncer, je ne risquerai plus rien.

Paula en doutait. Elle appréciait la loyauté, mais chez Arlene c'était de l'inconscience, de la naïveté, de la sottise.

— Je continue à penser que vous devriez partir avec moi. Au moins, pour un temps, pour voir de vieux amis, parler des jours d'autrefois...

Arlene se tourna pour la regarder et sourit gentiment.

— Je n'ai plus personne en Angleterre maintenant. Ni amis ni famille. Et je me rends compte qu'il est trop tard pour recommencer une carrière. Je suis trop vieille. Je n'en aurais plus le courage. Mais, suivez-moi. J'ai quelque chose à vous montrer.

Un instant immobile, Paula la regarda se faire un chemin vers la falaise. Puis, elle se dépêcha de la rejoindre. Quand elle la rattrapa, Arlene avait le regard fixé sur la mer, plus tumultueuse encore qu'avant l'orage.

— Je viens souvent ici, dit-elle, quand l'atmosphère devient trop lourde à la maison.

— Je sais. Evelyn me l'a dit.

Le vent violent lui coupait presque la respiration.

— Que vouliez-vous me montrer ?

Arlene désigna la falaise du doigt.

— Il y a là-dessous une grotte magnifique, où des hommes ont vécu aux temps de la préhistoire. Cet endroit me fascine. Voulez-vous le voir ?

— N'est-ce pas trop dangereux ?

— Non, si vous connaissez le chemin. Et c'est mon cas. Mais, faites attention tout de même. Moi, je connais cet endroit par cœur, mais il y a quelques mauvais passages. Suivez-moi.

Elle commença à descendre avec une apparente facilité.

Paula hésitait.

— Ne vaudrait-il pas mieux rentrer maintenant ?

— Non. Venez ! C'est un merveilleux spectacle. Je veux partager avec vous la joie que j'en éprouve toujours.

Sans plaisir, Paula commença à suivre le bord de la falaise. Elle ne trouvait pas passionnante cette promenade, mais la marche dans les rochers était cependant plus facile qu'elle ne l'avait craint. Des entailles naturelles ou creusées depuis des millénaires rendaient l'ascension moins dangereuse. Et l'entrée de la grotte, visible quand on était prévenu, n'était pas trop éloignée.

Arlene avait dû passer des journées à la découvrir... Paula y entra d'un pas vif, mais, au premier regard autour d'elle, elle éprouva une surprise presque angoissée qui fit sourire de joie Arlene. La caverne était profonde et double. Il y avait deux espèces de chambre dans le rocher.

— Je l'ai découverte par hasard, dit Arlene avec fierté.

— J'imagine que des hommes ont couché là autrefois, couverts de peaux de bêtes pour ne pas avoir froid.

Paula comprenait. Elle hocha la tête.

— Etes-vous seule à connaître cet endroit ?

Arlene eut un sourire enfantin.

— Plus maintenant. Avec vous, cela fait deux. Mais personne d'autre. C'est un secret.

Paula s'assit sur le rebord rocheux.

— J'ai l'intention de prendre le premier avion commode pour Londres.

Arlene continuait à errer autour des parois, l'air distrait, et Paula commençait à trouver difficile de parler à quelqu'un d'aussi peu attentif. Surtout à parler d'un départ aussi brutal.

— Je *dois* partir, répéta-t-elle pourtant. Plus j'attendrai, plus les choses deviendront difficiles. Si vous ne voulez pas m'accompagner... De toute façon, je ne puis rester. Mes parents vont rentrer d'Australie prochainement. Je ne veux pas qu'ils soient mis au courant de mon accident avant d'avoir pu constater, de leurs yeux, que je vais tout à fait bien maintenant.

Arlene finit par arrêter sa marche errante et se décida à regarder Paula en face.

— Oh ! je comprends. N'avez-vous pas envie de visiter l'autre chambre maintenant ?

— Non ? Pas en ce moment.

Arlene se rapprocha d'elle.

— Pourquoi ? C'est votre conscience qui vous tourmente ?

Paula parut stupéfaite.

— Je ne sais pas du tout ce que vous voulez dire, bégaya-t-elle enfin.

L'actrice eut un petit rictus.

— Je parle de Piero, évidemment. Je sais très bien ce qui s'est passé entre vous deux, derrière mon dos.

Le sol de la grotte était tapissé de lichens. Paula les regardait, tête baissée.

— Je suis désolée.

— Désolée ? répéta Arlene.

Sa voix était devenue rauque, hargneuse.

— Pensiez-vous que j'étais assez stupide, ou trop aveugle pour ne pas comprendre ce qui s'est passé ? Les orchidées qu'il vous a envoyées en mon nom. C'était si délicat de sa part, n'est-ce pas ? Et son idée de vous faire venir à la villa pour votre convalescence ! Il ne m'a jamais été fidèle longtemps et j'aurais dû comprendre tout de suite que la compassion seule n'avait pas guidé sa démarche, auprès de vous, cette fois.

Il y eut un long moment de silence entre les deux femmes, puis Paula prononça lentement :

— Il vous a épousée...

— Parce que ça lui convenait, riposta Arlene, amèrement. J'ai tout abandonné pour lui et voilà comment il me récompense. En dépensant mon argent avec des gamines comme vous.

— Je peux vous assurer que je ne l'ai pas encouragé, Arlene. Je ne voulais pas vous faire de mal.

— Pas possible ? Moi, je pense que c'était le dernier de vos soucis.

Elle s'était adossée au mur rocheux sans souci de l'humidité qui ruisselait.

— Ce n'est pas vrai, s'indigna Paula.

Puis, elle ajouta d'un ton exaspéré :

— De toute façon, cela n'a plus d'importance. Je pars et je ne reviendrai jamais.

Sa voix s'était brisée sur les derniers mots.

— L'aimez-vous ?

Paula leva les yeux de nouveau.

— Oui, je l'aime. Malgré la façon indigne dont il vous traite ! Bien qu'il soit l'être le plus diabolique au monde ! Même ainsi, je l'aime. Je ne peux pas m'en empêcher. C'est ainsi. C'est tout.

Arlene, la tête appuyée en arrière sur le rocher, éclata de rire.

— Qu'y a-t-il de si drôle dans ce que j'ai dit ? demanda Paula d'une voix épuisée.

— Je vais vous dire ce qu'il y a de vraiment drôle. C'est vous, tout simplement ! Oui, vous ! Vous, votre brillante jeunesse, votre assurance de tout savoir. Ou, tout au moins de le croire. Oui, je vous le déclare, Paula, il y a des avantages, parfois, à avoir dépassé cet âge naïf. La jeunesse est si prête à tout gober, tout croire...

Paula releva les yeux vers elle, lentement. La vérité commençait à poindre dans son esprit, apportant un nouveau sentiment d'horreur.

— Ce n'est pas vrai, n'est-ce pas ? Rien n'est vrai ? Toutes ces sottises au sujet des infidélités de Piero. Ce complot d'Evelyn et lui pour vous faire disparaître... Rien de tout cela n'est vrai. Vous m'avez menti, toujours menti. Pourquoi ?

Le rire d'Arlene disparut, comme subitement gommé de son visage.

— Quand j'ai compris qu'il y avait quelque chose entre vous et Piero, j'ai pris peur. J'ai réfléchi que si je vous présentais cet homme comme un démon, vous vous éloigneriez de lui. Après tout, j'y ai presque réussi. Vous êtes d'abord venue à la villa pour recueillir et raconter une histoire sensationnelle. J'aurais dû me contenter de ça.

— Mais, quand je suis venue jusqu'à votre chambre...

— J'ai joué la comédie, dit Arlene en souriant, très satisfaite de sa performance.

» Oui... je vous ai bien eue, non ? Je vous avais aperçue dans l'entrebâillement de la porte. Auriez-vous oublié que je suis une bonne actrice ?

— Mais la seringue... La piqûre...

Arlene expliqua, avec un soupir :

— Cela, c'était vrai. Je souffre vraiment, parfois d'atroces migraines. Dans ces cas-là, un peu de morphine me calme suffisamment pour que la douleur devienne supportable.

» Evelyn a l'habitude et me soigne très bien de cette façon-là. Tout ce que j'ai fait l'autre jour, c'est de lui rendre l'administration de cette piqûre plus difficile. A son grand étonnement, du reste, et à celui de Piero. C'était bien joué, n'est-ce pas ? La réaction d'une femme malheureuse et désespérée, qui sait qu'on en veut à ses jours... Mais je suis une femme désespérée. Réellement désespérée. Si je perdais Piero maintenant, je ne pourrais plus vivre.

Paula frissonna. Arlene était désespérée, et — elle venait tout juste de s'en rendre compte — dangereuse.

— Eh bien, déclara-t-elle en raffermissant sa voix, vous n'avez plus rien à craindre de moi. Je vous abandonne le terrain. C'est clair ? De toute façon, je n'aurais jamais pu bâtir mon bonheur sur les ruines du vôtre.

— Comme c'est aimable à vous ! lança Arlene, sarcastique. Mais, bien que vous ayez agi comme je le prévoyais, et soyez prête à céder la place, je suis persuadée que, lui, ne vous laisserait jamais partir. Où que vous alliez, il vous suivra. Je le connais depuis trop longtemps pour m'y tromper. Je connais ses réactions. Je le surveille quand il est près de vous. Il tient trop à vous pour vous libérer de lui.

Paula se leva, essuyant d'un revers de main la poussière de ses jeans.

— Cela ne pourrait faire aucune différence pour moi. Je ne volerai jamais un mari à sa femme.

— Vous vous êtes pourtant bien arrangée pour voler celui-là, il me semble.

Paula porta les deux mains à ses oreilles. C'était trop !

— Non ! Non ! Je ne l'ai pas fait ! cria-t-elle. J'ignorais que vous étiez mariés. Je l'ai ignoré jusqu'à ce qu'il soit trop tard.

Arlene eut un ricannement de dérision.

— Vous pouvez toujours protester ! Je connais votre type de femme. Vous êtes du genre rapace, dès que les hommes sont en cause. J'étais ainsi moi-même. Cela m'aide à les deviner, sinon à les comprendre.

— Vous ne comprenez rien du tout ! s'écria Paula exaspérée par cette mauvaise foi.

Elle commença, prudemment, à se diriger vers l'entrée de la première grotte, à travers les lichens et les herbes glissantes. Elle était mortellement effrayée maintenant. Car, il ne restait plus rien de la femme aimable et bonne qu'elle avait cru connaître.

Rien même de l'actrice parfois nerveuse et tendue. Elle avait en face d'elle une femme nouvelle, résolue, avec un éclat dangereux dans le regard : la folle flamme de celle qui n'a plus rien à perdre. Prête à prendre tous les risques pour garder l'homme qu'elle aimait !

— Je pense qu'il vaut mieux que je ne reste pas ici plus longtemps. Pour nous tous, le mieux serait que je m'installe à l'hôtel, jusqu'à ce que je trouve un avion pour Londres.

— Vous resterez ici aussi longtemps que je le voudrai.

Paula fit un brusque demi-tour sur elle-même, manquant de glisser sur les lichens, pour rencontrer un visage convulsé de haine. Mais avant qu'elle eût pu répliquer, un bruit de pas se fit entendre au-dessus d'elles.

— Arlene... Miss Sanderson...

Evelyn ! pensa Paula avec soulagement.

— Ne répondez pas, ordonna Arlene, en se redressant.

Mais Paula se contenta de lui lancer un regard de mépris, se pressant autant qu'elle le pouvait vers l'entrée, glissant parfois sur les algues humides.

La sortie semblait reculer à mesure que la jeune fille avançait. Elle n'était pas encore en sécurité.

— Nous sommes ici, Evelyn, cria-t-elle tout en se pressant.

Sa voix était saccadée et tremblante.

Le visage effrayé d'Evelyn parut par-dessus le bord de la falaise.

— Est-ce que tout va bien, Miss Sanderson ?

— Mais oui.

Au moment où celle-ci s'apprêtait à descendre les marches dans la roche, Paula la prévint :

— Attention ! ça glisse beaucoup...

Evelyn tenta de négocier le passage, mais s'arrêta soudain l'air horrifié. Elle semblait aussi incapable de remonter que de descendre.

— Dites à cette imbécile de s'en aller, cria Arlene. Elle a le vertige.

Paula soupira avec résignation.

— Remontez, Evelyn. Je vais venir vous rejoindre.

C'est à ce moment qu'Arlene la saisit par-derrière, s'accrochant à son pull-over avec une violence, une brutalité qui lui coupa le souffle. Elle faillit tomber.

— Je vous avais bien dit que vous ne partiriez d'ici que lorsque je le déciderais.

Paula la regarda, choquée, stupéfaite. Un cri détourna leur commune attention. Evelyn, descendue quand même, venait de manquer les dernières marches, et de glisser à l'entrée de la grotte. Paula parvint à se débarrasser d'Arlene et courut aider la malheureuse femme qui gémissait. La jeune fille se baissa près d'elle.

— Où avez-vous mal ?

— C'est... C'est cette dernière marche... Pourquoi suis-je toujours si maladroite... J'ai peur... Je crois bien que je me suis brisé la cheville.

Elle s'appuya au mur, essayant de reprendre son souffle, mais la douleur la suppliciait. Paula eut l'impression qu'elle allait se trouver mal.

Soudain, un énorme, un monstrueux éclat de rire

jaillit, renvoyé par l'écho d'un mur à l'autre de la caverne.

— Elle... est... si bête ! s'esclaffa Arlene, joyeusement. Je l'ai toujours gardée à ma botte, et menée par le bout du nez. Et cela n'a pas été bien difficile !

Le rire fou reprit. Paula se releva et lui lança un regard dégoûté.

— Comment pouvez-vous rester plantée là et rire quand cette pauvre femme est à terre et souffre abominablement, elle qui vous a toujours soignée avec dévouement. C'est immonde! Je vais chercher du secours.

Elle avait déjà atteint la première marche quand elle se sentit agrippée de nouveau avec une brusquerie et une violence qu'on n'aurait jamais soupçonnées d'un corps d'apparence aussi frêle.

Paula n'avait pas le temps de réfléchir. Instinctivement, elle se défendit de toutes ses forces. Ce fut dans cette lutte acharnée qu'elle glissa et se sentit tomber.

Au-dessous d'elle, les vagues venaient se briser avec force sur les rochers menaçants qui semblaient l'attendre. Dans un éclair de folle terreur, Paula sut qu'elle était perdue.

Rien ne pouvait la sauver de ces blocs déchiquetés, mortels, de cette mer en colère.

Cependant, instinctivement, elle chercha un appui à l'aveuglette, les mains tendues, les yeux clos sur l'angoisse de la chute inévitable.

Quel miracle lorsqu'elle sentit une autre main attraper la sienne ! Un peu plus tard, au lieu d'aller s'écraser quelques dizaines de mètres plus bas, elle se trouva allongée, les bras écartés sur le sol de varechs.

Evelyn était auprès d'elle, très pâle. Evelyn, qui venait de faire un effort surhumain pour la ramener, l'empêcher de mourir d'une façon atroce.

Comme Paula voulait la remercier, Evelyn hocha la tête.

— Je... devais... réparer... Tout... est... ma faute... déclara-t-elle péniblement, entre deux aspirations douloureuses, le souffle court.

» Je... lui ai dit que... Piero vous aimait... J'ai vu Arlene... gâcher... gâcher sa vie assez longtemps... Je ne pouvais plus supporter de la regarder continuer à le faire...

» Il... il mérite une chance... Je... je n'aurais jamais pensé... qu'elle... irait jusque-là...

» Je comprends seulement maintenant qu'il... aurait mieux valu que je me taise... Je...

Sans pouvoir finir sa phrase, elle était tombée, la tête en arrière. Paula se pencha vivement : Evelyn venait de s'évanouir.

Paula commença à se relever, contusionnée, et elle était encore à quatre pattes quand Arlene revint sur elle, les griffes en avant. Sur cette étroite bordure de rochers, elle se sentait très vulnérable devant cette furie.

Arlene avait l'habitude de ces rochers glissants, et on aurait dit en outre qu'elle n'avait ni nerfs ni conscience.

Pendant ce qui sembla à Paula des siècles mais qui ne dura sans doute que quelques secondes, elle aperçut au-dessus d'elle, menaçante, Arlene qui se précipitait pour essayer de la faire de nouveau passer par-dessus la falaise.

Tandis qu'elle luttait pour se dégager et se trouver dans une meilleure position de défense, une voix retentit, que l'écho amplifiait de telle sorte qu'elle semblait jaillir de tous les côtés à la fois.

— Arlene, laissez-la !

Toutes deux, arrêtées dans leurs gestes, levèrent les yeux, tandis qu'un pas pressé courait le long de la paroi de la seconde cave.

Le visage d'Arlene prit une expression de terreur lorsqu'elle reconnut Piero dans l'arrivant. D'incrédulité, aussi. Comment pouvait-il se trouver là ?

Interdite, elle remuait les lèvres sans qu'un son pût en sortir, mais au mouvement que surveillait Paula, elle sut que c'était son nom qu'elle cherchait à prononcer : Piero...

Paula croyait vivre un rêve. Comment pouvait-il se faire que Piero apparût ainsi, à ce moment précis, à l'autre bout de la caverne. C'était proprement impossible !

Pourtant, c'était bien lui et il marchait, il se dirigeait droit sur Arlene sans jamais la quitter des yeux.

— Elle... elle est tombée..., murmura l'actrice, le regard comme hypnotisé par l'arrivant.

Il était difficile de croire qu'une minute plus tôt, elle n'était que menaces et méchanceté.

— Elle est tombée et j'essayais de l'aider à se relever. Je voulais simplement l'aider...

— J'imagine très bien ce que vous étiez en train d'essayer de faire.

La voix de Piero Falzon était dure, menaçante.

Comme il arrivait près d'elle, elle secoua encore la tête en un geste de dénégation bien inutile. et fit un pas en arrière, comme si elle voulait éviter son contact.

Il poussa un cri d'avertissement, mais il était trop tard.

Les yeux d'Arlene s'élargirent de terreur quand elle sentit le vide derrière elle. Ses lèvres s'ouvrirent pour un cri qui ne sortit pas, tandis qu'elle essayait de retrouver son équilibre.

Piero se précipita à son secours, mais malgré la rapidité de ses gestes, il arriva trop tard. Et faillit tomber lui-même, emporté par son élan.

En quelques secondes, elle disparut, happée par le vide.

Il y eut un cri aigu et terrifié : mais c'était celui de Paula. Piero se rétablit difficilement sur le bord du gouffre, le regard plongé dans la mer en furie.

— Il faut du secours, cria Paula.

— C'est trop tard pour elle, répondit-il, la voix lasse.

Il releva alors la tête pour considérer Paula, le regard triste, douloureux.

— Comment vous sentez-vous, vous-même ? demanda-t-il.

Elle inclina la tête en réponse et du même geste lui désigna Evelyn, toujours évanouie sur le sol rocheux.

— Elle est venue pour m'aider. expliqua Paula, mais elle est tombée sur les dernières marches glissantes. Je crains qu'elle ne se soit brisé la cheville.

Piero eut un dernier regard pour la mer agitée au bas de la falaise puis, prenant visiblement sur lui, il traversa la grotte en direction d'Evelyn, toujours allongée à l'entrée.

Il s'agenouilla auprès d'elle, puis quittant sa veste, il lui en fit un oreiller.

— Tout cela est ma faute, s'écria Paula, se détournant à son tour pour regarder l'endroit où Arlene avait disparu. Elle a cru que j'allais vous prendre à elle, et il semble qu'elle a perdu la raison.

Il la fixa longuement et se releva, très pâle sous son hâle. Il la vit tituber et la retint solidement entre ses bras avant de la laisser aller.

— Cela devait arriver un jour ou l'autre, dit-il. Ne pensez pas que vous êtes coupable, en quoi que ce soit. Ce n'est pas vrai ! Il faut me croire.

Il s'écarta d'elle comme un homme en proie à un mauvais rêve.

— Restez ici pendant que je vais chercher du secours pour cette pauvre Evelyn.

— Mais... Arlene...

— Non, répondit-il avec brusquerie. Il n'y a plus rien à faire pour elle. Cet endroit ne pardonne pas.

Il commença à traverser la caverne à grands pas.

— Mais, vous ne pouvez pas sortir par là ? dit-elle.

Il se retourna et eut un sourire triste.

— Arlene vivait souvent dans un monde fantastique, à son choix. Elle s'imaginait qu'elle était seule à connaître cette grotte. Mais j'ai grandi dans ce pays. J'ai exploré la falaise bien avant elle. Il y a un chemin beaucoup plus facile pour pénétrer dans cette grotte. C'est par le sommet de la falaise. Ici, c'est bien trop dangereux !

Refoulant ses larmes, Paula le regarda partir puis

elle revint à Evelyn qui avait repris à demi conscience, et souffrait maintenant sans gémir.

— Piero est allé chercher du secours, lui dit-elle.

Des larmes coulaient sur les joues pâles de la pauvre blessée, et quand elle entendit Paula lui parler, elle ferma les yeux.

— Vous ne l'aurez pas réellement connue, dit-elle d'une voix compatissante. Le destin n'a pas été bon pour elle, malgré les apparences...

Paula s'assit sur le rebord de pierre et la tête dans ses mains, elle pleura aussi.

CHAPITRE XII

Piero était assis à l'autre extrémité du sofa. Il portait encore les vêtements salis par son passage dans la grotte, ce qui paraissait tout à fait incongru, ici, dans la belle villa.

Paula était assise à l'autre bout du divan. Elle avait séché ses yeux et retrouvé une apparence de sang-froid. A l'exception de quelques sanglots convulsifs qu'elle n'avait pas encore réussi à réprimer.

Dans le hall, un des policiers qui avaient recueilli le témoignage de tous venait d'être reconduit hors de la maison par Severino. Les conversations avaient lieu dans ce ton voisin du chuchotement, qui est, plus que tout, la marque d'une maison en deuil.

— C'est un terrible accident, avait conclu l'homme, satisfait de voir l'enquête se terminer aussi facilement.

Il était sorti en poussant un soupir. Il aurait été heureux que toutes les affaires dont il avait à s'occuper fussent aussi simples.

Pour plus de commodité, ils avaient tous raconté la même histoire. Etant allée faire visiter la grotte à son invitée, Arlene avait glissé trop près du bord de la falaise pour pouvoir se rattraper.

C'était la vérité, mais pas toute la vérité. Pourquoi auraient-ils parlé de ce qui avait précédé cette malencontreuse chute ?

Aucun d'entre eux n'en parlerait jamais. Personne n'était certain qu'Arlene eût réellement voulu tuer Paula.

Maintenant, Evelyn était en route pour l'hôpital, où l'on soignerait sa fracture et la police avait déclaré l'enquête close.

Piero était resté longtemps, la tête plongée dans ses mains, mais quand ils eurent été laissés seuls, il se redressa, le regard encore lointain.

Puis, il étendit la main pour prendre celle que Paula lui abandonna.

— Que va-t-il arriver à Evelyn, maintenant ? demanda-t-elle.

Il la regarda et posa la tête en arrière sur le dossier du canapé d'un geste de fatigue.

— Elle avait depuis très longtemps envie de revoir sa mère. Je pense donc que, dès qu'elle en sera capable, je lui faciliterai le voyage. Il faudra que je m'inquiète de sa situation financière. C'est bien le moins que je puisse faire après les années de dévouement dont elle a fait preuve envers Arlene.

» Elle lui était entièrement acquise, depuis longtemps. Elle était son habilleuse quand elle travaillait dans les studios. Elle est restée avec elle et n'a jamais voulu la quitter.

Il jeta un regard à Paula et demanda :

— Comment vous sentez-vous ?

Elle lui fit un sourire hésitant.

— Ce serait idiot de vous cacher que je me sens encore un peu en état de choc.

Il eut une ombre de sourire.

— Nous sommes tous deux dans le même cas.

La main de Paula serra convulsivement le bras de Piero. Le cauchemar de ce qui s'était passé dans cette caverne la hanterait encore longtemps. Elle craignait de ne pouvoir jamais, en fait, s'en débarrasser.

— Cela m'a paru un miracle, quand je vous ai aperçu, à l'autre entrée de la grotte.

— Il n'y avait là aucun miracle. J'avais quelqu'un à voir à Rabat, ce matin, mais je n'avais pas l'intention de m'attarder là-bas, car j'avais à vous parler. Après la séance tumultueuse d'hier soir, je pensais qu'Arlene dormirait tard, au moins toute la matinée, et j'avais des quantités de choses importantes à vous dire.

» Quand je suis rentré, j'ai trouvé un message d'Evelyn. Elle indiquait qu'elle partait pour la grotte parce qu'Arlene avait manifesté l'envie de vous y emmener. Je pense que vous vous êtes glissées hors de la maison au moment même où Evelyn était au téléphone.

— Quelle importance cela avait-il qu'elle m'emmène faire un tour par là ? demanda Paula.

— Quelle importance ? Nous avions le devoir de nous méfier de tous ses mouvements. Elle était nerveuse, instable et jalouse, parce qu'elle connaissait mes sentiments pour vous.

Il soupira profondément.

— De toute façon je suis revenu aussitôt que cela m'a été possible. J'étais inquiet, effrayé, même.

Je savais de quoi Arlene pouvait être capable en certaines circonstances.

— Etait-il donc arrivé quelque chose de semblable, dans le passé ?

— Oui, mais c'était il y a bien longtemps. Et elle avait tenté, également, de mettre fin à ses jours, à une période où elle pensait être trahie.

La voix de Piero avait faibli à la fin de sa phrase. Paula souffrait pour lui.

— Cette fois, rien n'est votre faute, Piero. Vous ne pouviez rien faire pour éviter cette chute. Et c'était nettement un accident. Elle ne se croyait pas si près du bord.

Il releva la tête de nouveau.

— Oui. Je pense que vous avez raison, mais il est naturel que je m'interroge pour savoir si je pouvais faire plus que je n'ai fait. J'ai essayé de la tenir à l'abri du monde extérieur autant que j'ai pu, et Evelyn la surveillait de très près. Mais nous devions lui laisser aussi un petit sentiment de liberté. Sinon, sa vie aurait été un calvaire !

— Pourquoi Piero ? Pourquoi avez-vous été obligé d'agir de cette façon ? Je ne comprends pas.

— Vous ne comprenez pas, et c'est bien naturel, ce qui l'avait mise dans cet état de dépression constante. Le chagrin et le remords, j'imagine. La plupart du temps, elle réussissait à effacer cet affreux épisode de son esprit, mais lorsqu'elle n'y parvenait pas, c'étaient des moments de grande dépression, qui s'ensuivaient.

Il entoura, nerveusement son autre poignet et demanda :

— Enfin, qu'est-ce qui vous a pris de la suivre ainsi dans cet endroit inconnu ?

Paula se mordit les lèvres et quand il se mit à l'interroger du regard, elle dit, d'une petite voix :

— J'étais peinée pour elle et je désirais l'aider. Elle avait réussi à me convaincre qu'elle était en danger, par votre faute et celle d'Evelyn, et qu'elle désirait me parler loin de tout risque d'indiscrétion. Je pensais que vous aviez le contrôle de son argent et...

— Son argent... Elle ne possédait plus rien depuis des années. Quand elle travaillait, elle le dépensait aussi vite qu'elle le gagnait, et, ensuite, il y eut les spécialistes, l'hôpital, etc.

— J'ai été complètement idiote de la croire, soupira Paula.

Il eut un rire sarcastique.

— Vous oubliez, mon petit, que c'était une comédienne de talent. La meilleure ! Elle arrivait même à me convaincre parfois, alors que je la connaissais bien. Si seulement j'avais pu remarquer quelque chose...

Il la regarda comme s'il cherchait à se faire pardonner, à lui demander sa compréhension.

— De quoi vouliez-vous me parler ? Que désiriez-vous tellement me dire ?

— Ce n'est pas seulement que je le désire : je le dois. Il n'est que justice que je vous parle d'Arlene et de moi, avant...

Il baissa les yeux puis les leva de nouveau sur Paula.

— ... avant que nous parlions de nous.

Elle avala sa salive et baissa les yeux.

— Je sais tout de vous et Arlene. Elle était... Elle était votre femme...

Il plongea sa tête dans ses deux mains jointes et la secoua de droite et de gauche, plusieurs fois.

— Elle vous a dit ça ?

— Non. J'ai entendu, le soir où j'étais allée jusqu'à sa chambre... Et puis, elle m'a montré votre bague. Enfin... Je veux dire son alliance, quand j'ai fait allusion à ce que j'avais entendu par l'entrebâillement de sa porte.

Il la fixa de nouveau.

— Maintenant, je ne suis pas étonné de la comédie qu'elle nous a faite au moment où Evelyn voulait lui faire cette piqûre qu'elle réclamait généralement avec insistance, quand elle avait ces migraines. Elle vous avait aperçue. Arlene n'a jamais résisté à l'envie de jouer la comédie quand elle avait un public à sa disposition.

Sans qu'il l'eût sans doute voulu, le sourire de Piero était amusé.

— Nous n'avons jamais été mariés.

Elle le regardait avec stupéfaction et il hocha la tête.

— Jamais. C'était simplement une des fantaisies qui lui prenaient, de temps en temps.

On frappa à la porte et Maria, en larmes, entra apportant le plateau du thé. Cary qui avait été bien oublié jusque-là, trottait derrière elle, semblant triste et abandonné.

Quand il arriva près de Paula, elle se baissa, le souleva et l'installa sur ses genoux. C'était une pauvre petite chose. Arlene lui manquait déjà.

Quand Maria fut partie sans rien dire mais en

reniflant éloquemment, tous deux ignorèrent le plateau, et Paula dit :

— Franchement, je ne comprends pas...

— Pas étonnant, répliqua Piero, moqueur. Cela a commencé il y a bien longtemps. Aux environs de 1952, je pense. Mon père rencontra Arlene au cours d'une soirée, en Angleterre.

» Il était veuf depuis des années, et en fut immédiatement amoureux fou. Ce fut mutuel. Du moins, je le crois. Ils avaient envie de se marier, mais Arlene était alors au sommet de sa carrière et son agent n'appréciait pas du tout l'idée de la voir épouser qui que ce soit. Il pensait que cela pourrait nuire à son image de vedette.

» Cependant, continua Piero avec un soupir, les studios finirent par donner leur bénédiction. Arlene était une trop grande artiste pour qu'on s'amuse à lui mettre trop longtemps des bâtons dans les roues. Mais les producteurs insistèrent pour que ce mariage fût tenu secret aussi longtemps que possible.

Paula avait toujours son regard éberlué.

— Ainsi, c'est votre père qu'elle avait épousé...

Il approuva d'un léger signe de tête.

— Ils ont été très heureux. Du moins pendant les premiers temps. Mais mon père était son mari, et trouvait désagréable et même pénible d'être tenu à l'écart d'une bonne partie de la vie de sa femme. Il n'avait pas une fortune fabuleuse, mais il était assez riche pour entretenir sa femme dans un luxe raisonnable. Et c'était ce qu'il désirait.

» J'étais très jeune quand ma mère mourut, et il désirait avoir d'autres enfants. Pour sa part, Arlene désirait continuer sa carrière, ce qui était également compréhensible...

» Mais mon père était un homme de la vieille école, par bien des côtés. Les frictions commencèrent entre eux, de plus en plus vives. Mon père n'était pas le plus patient des hommes, et Arlene pouvait se mettre dans des colères terribles quand l'occasion s'en présentait. J'ai assisté à un nombre incroyable de ces scènes. Parfois, cela pouvait être effrayant.

Paula soupira.

— Ainsi, elle m'avait dit que vous étiez mariés, simplement pour que je cède la place. Pour m'inquiéter.

Piero sourit d'un air de doute.

— Non, je ne crois pas que ce soit exactement ce qui s'est passé. En fait, elle faisait parfois la confusion entre mon père et moi, les derniers temps. Généralement, je le prenais avec un certain humour. Cela ne pouvait lui faire aucun mal... Tout au moins, je le croyais.

» Ce qui a servi à créer le climat actuel, c'est ce qui s'est passé une certaine nuit où ils se rendirent ensemble à une soirée dans le monde du spectacle. Mon père vécut cette soirée, essayant d'être effacé, de passer inaperçu, tandis qu'Arlene, au centre de la réception, attirait l'attention de tous. Ce fut la goutte d'eau qui fit déborder le vase.

» Il y avait là une fille, une secrétaire du studio d'Arlene, qui se sentait, comme mon père, en dehors de tout ce spectacle, et ils passèrent la soirée ensemble, à bavarder.

» Quand la nuit fut bien entamée, mon père décida qu'il en avait assez et invita la fille à l'accompagner à la maison pour prendre un café. C'était fort innocent. J'étais à l'appartement, et la femme de chambre également. Mais quand Arlene revint assez tard, en coup de vent, elle entra dans une rage terrible et accusa mon père d'avoir une aventure avec cette fille.

» Elle se précipita sur elle et la blessa gravement avant qu'on ait pu les séparer. C'était horrible ! Une attaque absolument injustifiée.

— Qu'est-il advenu de la pauvre fille ?

— Les studios prirent à leur compte toutes les dépenses médicales et autres. On la dédommagea suffisamment pour qu'elle n'ébruite pas l'histoire, et elle savait qu'elle perdrait une bonne place si elle le faisait. Ainsi l'affaire n'eut aucune suite.

» La seule chose terrible était qu'Arlene n'était absolument pas repentante de ce qu'elle avait fait. Elle avait à demi tué quelqu'un mais elle restait convaincue qu'elle avait tout à fait raison d'avoir agi ainsi.

» Pour mon père, ce fut un choc terrible. Il adressa à sa femme un véritable ultimatum. Ou bien elle abandonnerait sa carrière et viendrait ici, à Malte, vivre avec lui, ou ils se sépareraient.

» Inutile de le dire, Arlene ne désirait ni l'un ni l'autre. Elle entra dans une de ses rages habituelles et quitta l'appartement en trombe. Mon père aurait dû la laisser partir et lui donner le temps de se calmer, mais il la suivit.

Pendant un instant, Piero passa la main sur son visage fatigué, comme pour effacer un souvenir.

— Ce qui s'est passé ensuite, je ne puis que le

deviner. Elle devait être montée dans la voiture. Il l'y suivit. Et elle prit sur les chapeaux de roues la direction de Brighton. Elle voulait, de toute évidence, lui donner une leçon, l'effrayer, le faire réfléchir. Ils ont dû avoir une violente altercation pendant le trajet. Juste avant d'entrer dans Brighton, la voiture emboutit un mur. Je me souviens avoir lu des articles relatant l'accident. C'est de l'avis de tous, ce qui mit fin à sa carrière.

Il hocha la tête rêveusement, tandis qu'il regardait, sans le voir, un angle de la pièce.

— Mon père fut tué sur le coup, et Arlene fut entre la vie et la mort pendant plusieurs semaines. Des mois s'écoulèrent avant qu'elle pût quitter l'hôpital, et quand elle en sortit, l'accident lui avait laissé de terribles migraines. Elle était incapable de retenir ses rôles, aussi avait-elle peu de chances de poursuivre sa carrière. Mais, je pense également qu'elle n'y tenait plus.

— C'est horrible ! murmura Paula, se souvenant des quelques mots de la pauvre Evelyn, au sujet d'un triste destin.

— Oui. Pendant les années suivantes, elle courut le monde, d'hôpitaux en maisons de santé, cliniques, etc. Tout d'abord, les médecins pensèrent que ces douleurs avaient une cause psychologique, le chagrin, le remords... Puis, il apparut, comme les douleurs ne s'atténuaient pas au cours des années, qu'une esquille d'os pressait sur une partie du cerveau, et c'était ce petit bout d'os qui occasionnait ces douleurs, parfois intolérables.

» Ils craignaient, tous, que cette pression ne devienne de plus en plus forte au cours des années, et puisse occasionner des troubles de la personnalité. Vous avez pu voir cet après-midi qu'ils ne s'étaient pas trompés.

— On ne pouvait pas l'opérer pour retirer cette esquille ?

— C'était une intervention beaucoup trop dangereuse pour être raisonnablement tentée avec quelque chance de succès.

— Je comprends.

— Durant toute cette période, je terminais mes études, et bientôt je fus prêt à revenir à Malte pour reprendre la clientèle de mon père. Evelyn n'avait jamais quitté Arlene et me tenait au courant de l'évolution de sa maladie. Mais comme vous pouvez l'imaginer, j'étais plutôt amer en songeant à elle. Le souvenir de mon père... Cette animosité dura jusqu'à ce que je la revoie. Mais à ce moment... Elle était devenue si maigre, son expression était si douloureuse que lorsque je lui annonçai que je revenais à Malte, je lui offris de l'emmener avec moi

Paula approuva d'un signe de tête apitoyé.

— Elle me fut reconnaissante d'une manière que je jugeai pathétique. Mais j'étais très jeune à cette époque, et je ne me suis pas rendu compte de la responsabilité que je prenais. Du reste, je pensais que c'était un arrangement provisoire.

— Il n'y a que le provisoire qui dure, c'est bien connu, dit Paula, gentiment.

— Oui. Comme je vous l'ai dit, j'étais très jeune. J'éprouvais donc une certaine fierté à la protéger. Elle continuait à être harcelée par les journalistes en quête de copie, comme elle l'avait été à sa sortie de tous les hôpitaux qu'elle avait fréquentés. Je devins réellement un expert dans l'art de l'aider à les éviter.

Il sourit légèrement.

— Même jusqu'à maintenant, quand vous êtes arrivée avec monsieur Cavanagh...

De nouveau sérieux, il reprit :

— Les années passant, elle se confia de plus en plus à moi, comme si j'étais mon père. Et, dans son esprit un peu troublé, je pris sa place. Elle était convaincue qu'aucun de ses malheurs n'était arrivé et j'étais pour elle l'homme qu'elle avait épousé.

» Il lui semblait que c'était pour moi qu'elle avait abandonné sa carrière, pour moi qu'elle s'était transformée en une simple maîtresse de maison. Un de mes amis médecin m'a assuré que c'était seulement ainsi qu'elle pourrait continuer à supporter la vie.

Paula était terrifiée.

— Mais... cela signifiait que vous n'aviez pas de vie personnelle, Piero.

Il lui sourit malicieusement.

— J'en ai eu une, mais je devais être très discret à ce sujet et, même si je dois vous paraître fort égoïste, j'avoue que je ne l'encourageais pas à sortir, à voir du monde. Plus elle appréciait sa vie de recluse, plus j'étais libre au-dehors.

Il la regarda alors, l'air un peu confus.

— Jusqu'à ce que vous apparaissiez, évidemment.

Ils se dévisagèrent un long moment en silence. Ils étaient encore silencieux quand Maria ouvrit la porte avec hésitation comme si elle était horrifiée du spectacle qu'ils allaient lui donner.

— Il y a un appel téléphonique pour Miss Paula. De Londres. Un monsieur Cavanagh.

Paula était déjà debout, les sourcils froncés.

— Je me demande ce qu'il me veut.

— Peut-être a-t-il déjà eu vent de la nouvelle ?

— Non. C'est trop tôt, les agences ne peuvent être encore averties. Je connais le rythme. De toute façon, il faut toujours plusieurs heures pour obtenir Malte, depuis Londres.

Le téléphone était discrètement installé dans une petite pièce à portée du grand hall. Avec hésitation, Paula prit le récepteur.

La voix de Mike était aussi nette que s'il se fût trouvé dans la pièce voisine. Mais elle lui parut totalement irréelle, trop forte, trop gaie pour les circonstances dans lesquelles elle se manifestait.

« — Paula. Enfin ! Quelle histoire pour vous obtenir ! s'exclama-t-il. Je pensais ne jamais y arriver. Est-ce que tout va bien ? »

« — Très bien, merci, et pour vous ? »

« — Bien aussi. Mais je n'en croyais pas mes yeux quand vous m'avez écrit où vous vous trouviez. Ecoutez-moi bien Paula. Je dois faire vite, le téléphone est ruineux. J'ai appris quelques faits intéressants. J'ai fouillé dans les archives et j'ai découvert qu'il y a une vingtaine d'années, Arlene avait été impliquée dans un accident et qu'un homme avait été tué. Cet homme se nommait Falzon. »

Il s'interrompit et, comme Paula ne répondit pas, il reprit :

« — Elle séjourna alors à l'hôpital de Brighton et elle disparut aussi subitement de cet endroit que pour le cinéma. »

D'une voix lasse, Paula expliqua :

« — Arlene était mariée en ce temps-là au père de Piero Falzon. »

« — Ah ! je supposais bien quelque chose dans ce genre-là. Pas très sensationnel, en somme. »

« — Non. Tout cela est parfaitement ordinaire, Mike. »

« — Bon. Eh bien, tant pis ! Quand comptez-vous revenir, Paula ? »

« — Bientôt. Je dois vous quitter maintenant. Faites mes amitiés à tous, Mike. »

« — Je le ferai. Vous nous manquez. Au revoir. »

Quand elle revint dans le petit salon, Piero était debout devant le manteau de la cheminée, le regard dans le vague. Cary somnolait sur le sofa. Piero la regarda anxieusement quand elle le rejoignit, et Paula retrouva toute son émotion, en voyant son visage ravagé par le chagrin.

— Que vous voulait-il ?

Elle réussit à sourire.

— Rien d'extraordinaire. Il voulait avoir de mes nouvelles et savoir quand j'avais l'intention de rentrer.

— Et quand avez-vous l'intention de le rejoindre ?

— Je n'ai jamais eu la moindre intention de le rejoindre.

— Alors, votre job au journal ?

Elle regardait dans le vague, à son tour.

— Il n'est plus aussi important pour moi.

— Il n'y a aucune raison, Paula, pour que cette affaire ruine vos ambitions.

— C'est pourtant ainsi.

— Mais..., vous adoriez votre métier.

— C'est vous que j'aime maintenant.

Quand elle leva les yeux sur lui, il y avait de la joie dans le regard de Falzon. Un bonheur ineffable.

— J'ai tellement besoin de vous avoir près de moi, murmura-t-il.

— Pourtant, je dois retourner à Londres, Piero. J'y ai mon travail, pour le moment du moins. Et ma famille. Et mes amis.

Elle vint tout près de lui et il l'enveloppa de ses bras.

— Nous avons tous les deux besoin de nous remettre, de nous reprendre, avant de nous retrouver. Mais je reviendrai aussi vite que je le pourrai.

Il l'éloigna un moment, à bout de bras, pour mieux pouvoir lire son regard.

— Pourrez-vous le supporter après tout ce qui est arrivé ? demanda-t-il avec une visible anxiété, avant de la serrer de nouveau contre lui.

Elle sourit.

— Tous les deux, nous aurons à laisser fermement le passé dormir, à sa place.

Il l'enlaça dans une étreinte presque suffocante.

— Et, murmura-t-il, si nous savons le faire, l'avenir sera à nous.

— Il est à nous, déjà, répondit-elle, les yeux humides.

— C'est dur de vous laisser partir.

— Ce sera doux de revenir.

FIN

Achevé d'imprimer
le 10 mars 1980
sur les presses
de l'imprimerie Cino del Duca,
18, rue de Folin, à Biarritz.
N° 5.

Dépôt légal n° 403. 2e trimestre 1980.